神《かみ》のみぞ知《し》るセカイ

The World God Only Knows

1

若《わか》木《き》民《たみ》喜《き》

神のみぞ知るセカイ 1　　目次

■若木民喜■

冥界法治省極東支局《めいかいほうじしょうきょくとうしきょく》
まだ捕獲率《ほかくりつ》3%《パーセント》!?
協力者《バディー》の生死《せいし》…
現在《げんざい》、ヨーロッパの駆《か》け魂《たま》は…
協力者《バディー》のケツ叩《たた》いてやらせろ!!
ピポ
ピッ
タ タ タ
FLAG《フラグ》.1 世界《せかい》はアイで動《うご》いてる
遅《おく》れましたーーっ!!
ボウ
なんだエルシィ!! そのほうき!!
いつまで掃除係《そうじがかり》のつもりだ!!
うう―― これがないと落《お》ち着《つ》かなくて……

地獄《じごく》も末《すえ》だな…
掃除係《そうじがかり》が駆《か》け魂隊《たまたい》とは…
が、がんばります!!
亡霊対策室長・ドクロウ
それでドクロウ室長《しつちょう》？
本当《ほんとう》にそんな人間《にんげん》がいるのですか？
女性《じょせい》の心《こころ》を、
思《おも》い通《どお》りにできる人間《にんげん》なんて…
いる。
その名《な》も…
落《お》とし神《がみ》!!

これ以上《いじょう》の「協力者《バディー》」はいない!!
まずはこの男《おとこ》を捜《さが》せ!!
ビッ
りょうかいです!!
エリュシア・デ・ルート・イーマ駆《か》け魂討伐《たまとうばつ》に出発《しゅっぱつ》しまぁす!!
あ、おみやげ送《おく》ってね人間界《にんげんかい》の。
ビリーのDVD《ディーブイディー》でいいわ。
まだやせる気《き》ですか?

FLAG《フラグ》.1 世界《せかい》はアイで動《うご》いてる

舞《まい》島《じま》学《がく》園《えん》高《こう》校《こう》
羽《は》鳥《とり》ゆう……
誰《だれ》、あんた?
これが今回《こんかい》のターゲットか……
どうしてここがわかったの……?
抵抗《ていこう》してもムダだよ!!
エンディングはすでに見《み》えた!!

運命《うんめい》は、
わ…私《わたし》…
あなたが好《す》き!!
常《つね》に一《いっ》本《ぽん》道《みち》!!

これで10000人目《にんめ》のヒロイン攻略《こうりゃく》!!
ピロリーン
ポロリーン
♪
ゆう…わ、私…
あなたが好き！
♪
ボクに解《と》けないギャルゲはない!!
フハハハハ!!
自《みずか》らの力《ちから》に…背筋《せすじ》が寒《さむ》くなる…!!
国語
ゲームは楽《たの》しいかい？桂木君《かつらぎくん》。
担任様《たんにんさま》の授業《じゅぎょう》より楽《たの》しいものがあんのか？ああ？

ボクの知《し》ってるゲームのすべてと先生《せんせい》の授業《じゅぎょう》を今《いま》比較《ひかく》してみました。
授業《じゅぎょう》よりおもしろいもの5012タイトル。同《おな》じくらいのもの15タイトル。
授業《じゅぎょう》よりつまらないもの1タイトル。
ホウ。
その1タイトルとは？
すいません、セーブポイントまで待《ま》ってください。
ポツーン

ボクの名《な》は
桂木桂馬《かつらぎけいま》。
6月《がつ》6日《か》11時《じ》29分《ふん》35秒《びょう》生《う》まれ17歳《さい》。
ゲームやっても誰《だれ》の迷惑《めいわく》にもなっていないだろ。
なんで殴《なぐ》られる!?
身長《しんちょう》174センチ、体重《たいじゅう》53キロ、得意科目《とくいかもく》、国語《こくご》、数学《すうがく》理科《りか》、社会《しゃかい》、英語《えいご》、技術《ぎじゅつ》。
好《す》きなものは…
女子《じょし》だ。
当然《とうぜん》さ、ボクくらいの年《とし》の男子《だんし》なら…フッ…
ただし…
オタメガネー

ちょっと、ちょっと！
あた!!
悪《わる》悪《わる》い 悪いっ!!
おおボクのＰＦＰ《ピーエフピー》がァ!!
スピード出《で》すぎてブレーキの限界《げんかい》越《こ》えてた。
２年《ねん》Ｂ組《ぐみ》
高原歩美《たかはらあゆみ》（17）

女子《じょし》といっても…
好《す》きなのは・・・こっち側のじゃない!!
ね——オタメガネ——
今日《きょう》屋上《おくじょう》の掃除《そうじ》やっといてよ！
今日《きょう》掃除当番《そうじとうばん》私《わたし》とあんたじゃん？
でも私《わたし》、あんたと違って忙《いそが》しいからさ——っ…
どういう神経《しんけい》だ!?
ボクはヒマ人か?。
今《いま》、部活《ぶかつ》で一杯一杯《いっぱいいっぱい》でさー。
ぶつかるのとバカにするのと頼《たの》み事《ごと》を同時《どうじ》に行《おこな》うとは!!
ふざけるな!!
断固《だんこ》断《ことわ》る!!
ヨロシク♡

屋上《おくじょう》
くそ…
なんて理不尽《りふじん》な奴《やつ》らだ。
ゲーム世界《せかい》の女子《じょし》を見習《みなら》え！
あの完璧《かんぺき》に理論的《りろんてき》で美《うつく》しい存在《そんざい》を!!

ボクが好きなのはゲーム女子《じょし》だけさ!!
現実《リアル》なんてクソゲーだ!!

ピコン
未読メール
813通
メールだよ。
ふ…今日《きょう》の迷《まよ》える子羊《こひつじ》たちの便《たよ》りだ。
現実《リアル》なんて所詮《しょせん》、仮《かり》そめの世界《せかい》。
こんにちは！神さま
先日は攻略のアド
今回のゲームでも
「あきいろ」の栞
初めまして（⌒∇⌒）ノ
落とし神さま！いつもサイト
「ゴスゴスぱにっく」とい
攻略を教えてくだ
落とし神よ！
あなたみたいなスピードで
できません○|￣|
れば教えて
ゲーム世界《せかい》にとどろくボクの真《しん》の存在《そんざい》!!
神さま
うかお救いく
落《お》とし神《がみ》!!
そうさ。
現実《リアル》のような不合理《ふごうり》かつ不条理《ふじょうり》なものに、
かかずらう必要《ひつよう》はない!!

ボクは、
ゲーム世界《せかい》の神《かみ》だ!!
カタ
初《はじ》めまして!! 落《お》とし神《がみ》です!! 「ゴスゴスぱにっく」ですか!! あれはみんな苦労《くろう》してるみたいですね!!
カタ
カタ
こんにちは!! 落《お》とし神《がみ》です!! 「あきいろ」はいいゲームですよね!! さて攻略《こうりゃく》ですがあれは…
初《はじ》めまして!!
カタ
ふ…
送信《そうしん》したよ♡
さて、次《つぎ》のメールは…

ん?
落とし神へ
どんな女でも落とせるという噂を聞く。
まさかとは思うが、本当なら攻略
してほしい女がいるのだ。
自信があるなら「返信」ボタンを
押してくれ。
返信
PS: ムリなら、絶対に押さないように!!
ドクロウ・スカール
なんだ? この挑発《ちょうはつ》のアロマが漂《ただよ》うメールは!!
ボクを誰《だれ》だと思《おも》っているんだ!?
神《かみ》は、
逃《に》げない!!
返信

17

契約《けいやく》ありがとうございます!!神様《かみさま》!!
さぁ参《まい》りましょう!!
駆《か》け魂《たま》狩《が》りに!!
う、
うわああ!!

なんだ?
今《いま》、空《そら》飛《と》んだか?
ゼゼー
広域《こういき》チェックでは反応《はんのう》あり…
次《つぎ》は精度《せいど》を上《あ》げて…個人特定《こじんとくてい》…だっけ?
落《お》ち着《つ》け!!現実《リアル》に呑《の》まれるな!!
順序《じゅんじょ》だてて論理的《ろんりてき》に考《かんが》えれば問題《もんだい》はない!!
まずはセーブ!!
整理《せいり》しよう。
まず、お前《まえ》は何者《なにもの》だろうか?

私《わたし》、エリュシア・デ・ルート・イーマと言《い》います。みんなはエルシィって呼《よ》んでます!!
地獄《じごく》から派遣《はけん》された「駆《か》け魂隊《たまたい》」の悪魔《あくま》ですゥ!!
なんの、
ホホゥ なんのこっ茶《ちゃ》でござるか。
まこと雅《みやび》よのう…
こっちゃ!!
21
君子《くんし》危《あや》うき3D女《ディーおんな》に近寄《ちかよ》らず!
さて今日《きょう》は木曜《もくよう》か。ゲーム買《か》いに行《い》くか。
ガラ
ここは、関《かか》わらないのが得策《とくさく》!
気《き》をつけてください!!

首《くび》、
取《と》れちゃいますよ？
首《くび》？
な、なんだ？この首輪《くびわ》？

神様《かみさま》は、
悪魔《あくま》と契約《けいやく》されたんですよ。
契約書《けいやくしょ》を送《おく》られましたよね?
室長《しつちょう》のドクロウさんあてに。
ゴ
ゴ
落とし神へ
んな女でも落とせるとい
聞く。
かとは思うが、本当なら攻略
しい女がいるのだ。
があるなら「返信」ボタンを
くれ。
返信
ムリなら、絶対に押さない
ドクロウ・スカ
ゴ
ム…ムム!!
あ…あのメールか!?

地獄《じごく》の契約《けいやく》は厳《きび》しいのでご注意《ちゅうい》ください。
もし、契約《けいやく》を達成《たっせい》できなかったり、
許可《きょか》なく破棄《はき》しちゃいますと…
その首輪《くびわ》が作動《さどう》し、
首《くび》をもぎとります。
し、しかもその後《あと》首《くび》が…キャー言《い》えません!!
言《い》えよ!! なんだよその後《あと》!!
ふ…ふふふざけるなァア!!
は、はずせええ!!
大丈夫《だいじょうぶ》ですよ。
駆《か》け魂《たま》を捕《つか》まえれば外《はず》れますから。

かけ…
なんなんだ
それは!!
ドロドロドロドロ
き…
来《き》ましたあ!!
ドロドロ
ドバッ
あとと
パタパタ
パタパタ
神様《かみさま》
こちらへ!!
ポポポン
ポン
きれいに
して
あります!!
下《した》の広場《ひろば》!!
あそこに
駆《か》け魂《たま》が
います!!

ドキン
あの先頭《せんとう》の娘《むすめ》!!
はっきりと奴《やつ》らの気配《けはい》が見《み》えます!!
26
あいつは………
か…かけたまってなんだよ？
「駆《か》け魂《たま》」とは地獄《じごく》から抜《ぬ》け出《だ》した悪人《あくにん》の霊魂《れいこん》です。
死《し》んでも悪人《あくにん》は悪人《あくにん》!!奴《やつ》らは再《ふたた》び地表《ちひょう》で悪事《あくじ》を働《はたら》くべく地獄《じごく》の囲《かこ》いを抜《ぬ》け出《だ》し地表《ちひょう》へやって来《く》るのです!!
罰

駆《か》け魂《たま》を捕《つか》まえるのは非常《ひじょう》に困難《こんなん》なのです。
何《なに》しろ、極《きわ》めて特異《とくい》な場所《ばしょ》に隠《かく》れていますので…
人《ひと》の心《こころ》のスキマ
が、駆《か》け魂《たま》の隠《かく》れ処《が》なのです!!
心《こころ》の…スキマ?
心《こころ》のスキマが埋《う》まってしまえば…
駆《か》け魂《たま》は居場所《いばしょ》がなくなり出《で》てきます!!
捕《つか》まえようがないだろ、そんなの?
う!? 話《はなし》にのっちまった…!!
そこで、人間《にんげん》の協力者《バディー》の出番《でばん》です。

心《こころ》のスキマを埋《う》めるには恋《こい》が一番《いちばん》!!
落《お》とし神様《がみさま》のお力《ちから》で、あの娘《むすめ》の心《こころ》のスキマを埋《う》めていただきたいのです!!
ま、
待《ま》て待《ま》て!!
ボクに、
現実《リアル》の女《おんな》を落《お》とせっていうのか!?
えっまぁ…ほどほどに。
あの、口《くち》づけ程度《ていど》でいいので…
もじもじ
バカヤロ――
お前《まえ》はとんでもない間違《まちが》いしてるぞ!!

ボクは、
現実《リアル》の女《おんな》と手《て》をつないだことすらない!!
そして…
現実《リアル》もそれを望《のぞ》んでは、いない!!
現実《リアル》の女《おんな》たちはボクをこう呼《よ》ぶ。
オタメガネ。
29

ひどい…ひどいです神《かみ》さま…
お遊戯《ゆうぎ》の神《かみ》さまだったなんて…
ひどいのはどっちだ!!
こんなことだろうと思《おも》った…
何《なに》やっても私《わたし》、ダメなんだから…
結局《けっきょく》!!勘違《かんちが》いだろ、
契約《けいやく》を解除《かいじょ》しろ!!
できませんすいません。
ペコ
ペコ
契約《けいやく》は対等《たいとう》…
協力《きょうりょく》する者《もの》が死《し》んだら悪魔《あくま》の首《くび》も飛《と》びますから。
せ…せめてあの…
私《わたし》も一緒《いっしょ》に死《し》にますので……
ポロ
ポロ

ストレッチおしまい!!
そろそろ走《はし》るかー!
ああ…こんなに近《ちか》くに駆《か》け魂《たま》がいるのに…
掃除《そうじ》しかできないなんて…
ザッ
ザッ
ザッ
静《しず》かにしろ!!
首《くび》が飛《と》ぶ前《まえ》にやり直《なお》すゲームを書《か》き出《だ》してるんだ。
あれとあれとあれと…
ブッ
ブッ
ブッ
ブッ
ブッ
でも…神様《かみさま》は落《お》とし神様《がみさま》なんですよね?
現実《リアル》の女《おんな》もゲームのように落《お》とせるのでは…?

現実《リアル》とゲームを一緒《いっしょ》にするな。
ゲームに失礼《しつれい》だろ。
あれが陸上部《りくじょうぶ》？
ボクに言《い》わせればあんな精度の低い陸上部《りくじょうぶ》はない!!
精度《せいど》？
誰《だれ》も、
髪《かみ》をくくってない!!
……か？ 髪《かみ》？ そ、それがな、なにか？
ふざけるな!!
陸上部《りくじょうぶ》女《おんな》は髪《かみ》をくくってるんだよ!!
きゃ——っ!

陸上部《りくじょうぶ》の女《おんな》ってのは髪《かみ》をくくってるもんなんだ!!
あいつらは髪《かみ》をとめるゴムに魂《たましい》が宿《やど》るのを知《し》らないのか。
・・・。
あの…それはゲームの…
現実《リアル》ってのはまったく完成度《かんせいど》が低《ひく》い。
こんな世界《せかい》の女子《じょし》、攻略《こうりゃく》できないな!!
よ——っし、本気《ほんき》出《だ》すぞ——
ギュッ

神様《かみさま》くくりました!!
か、神様《かみさま》の言《い》う通《とお》りになりましたよ。
ぐ、ぐーぜんだよ!!
まだ足《た》りないぞ!!
た…短《たん》パンの陸上部《りくじょうぶ》もゲームじゃありえない!!
ブルマじゃないと動《うご》けないな!!

ブルマだ!!

なにい!!
キャア!
服《ふく》が!!
羽衣《はごろも》を変形《へんけい》させて飛《と》ばしました。
外見《がいけん》だけなら、私《わたし》でも変《か》えられます。
内側《うちがわ》を変《か》えられるのは神様《かみさま》にしかできません。
私《わたし》、神様《かみさま》を信《しん》じます!!
やりましょう神様《かみさま》!!

な、何《なに》——!?
こらー!! 何《なに》よそれは——!!
翌日《よくじつ》
ど
がんばれ!高原歩美ちゃん!
ん
舞校の弾
AYUMI
勝て勝て!
ドルやぞ!
オタメガ——この——
なんなのさ、この恥《は》ずかしい横断幕《おうだんまく》はー!
くそ…なんでこんな目《め》に…
その…大会《たいかい》も近《ちか》そうなので、
応援《おうえん》。

屋上《おくじよう》の掃除《そうじ》押《お》しつけたのは悪《わる》かったわよ。
つまりこれが復讐《ふくしゆう》ってわけ？
ギギギ
ギュウ
次《つぎ》やったら殺《ころ》すよ!!
か、神様《かみさま》…これでいいんですか？
怒《おこ》られちゃいましたけど…
これでいい。今《いま》はとにかく出会《であ》いの数《かず》をこなすんだ!!
ゲームでの親密度《しんみつど》は出会《であ》いの数《かず》に比例《ひれい》する!!
恋《こい》
親密度《しんみつど》
出会《であ》い
初対面《しよたいめん》
花《はな》が咲《さ》くまで水《みず》をやり続《つづ》けるんだ!!

3日目《かめ》
風になれ！スプリンター歩美
がんばれ！元気だ！高原歩美！
なんでいんのよ!!
断幕《だんまく》やめろ!!
4日目《かめ》
強き心は、時を超え
高原歩美V!!
そして伝説へ…
バカヤロ――!!
垂《た》れ幕《まく》でも同《おな》じだよ!!
5日目《かめ》
あゆみ
あゆみ
あゆみ
あゆみ
もうムシ。
ちゃんと花《はな》は育《そだ》っているのでしょうか…
なんかどんどんキラわれていってるような…
ゲームではな、
「嫌《きら》い」と「好《す》き」は変換《へんかん》可《か》能《のう》なんだよ。
ケンカしたりキラわれるようなイベントも、
プラスになってるんだ。

では、今《いま》は…本当《ほんとう》にキラわれてる訳《わけ》じゃないと…
ふうん……
本当《ほんとう》にキラわれてる可能性《かのうせい》も高《たか》いがな!!
セーブロード不可《ふか》バックログなしファーストプレイのみってどんな攻略《こうりゃく》だよ!!
命《いのち》がかかってなきゃ…
ま、またトイレだ…
ごゆっくり。
誰《だれ》がやるか、こんなこと!!
ちょおっとォ歩美《あゆみ》!!
こっち来《き》な!!
はい!!なんですか!?
なんであんたらが先《さき》に走《はし》ってる訳《わけ》?
2年《ねん》はうちら3年《ねん》が走《はし》るまで待機《たいき》でしょ?

先輩方《せんぱいがた》は今日《きょう》は来《こ》られないかと…
本番《ほんばん》まで時間《じかん》もありませんから。
聞《き》いたー？本番《ほんばん》だって——？
すーっかり選手《せんしゅ》気分《きぶん》ね——
なんて私《わたし》がホケツであんたが代表《だいひょう》なのよ。
たまたま一回《いっかい》いいタイムが出《で》ただけじゃん。
罰《ばつ》なら早《はや》くお願《ねが》いします!!
ほんっとに時間《じかん》がないですから!!本《ほん》・番《ばん》・まで!!
何《なに》こいつ!!
外周《がいしゅう》よ——!!
外周《がいしゅう》30周《しゅう》ーっ!!
了解《りょうかい》——!!
うー——!!イヤな先輩《せんぱい》!!
人間界《にんげんかい》にもああいう人《ひと》いるんですね。
ジゴクにもいるのか。

しーん
6日目《かめ》
あれ？応援男《おうえんおとこ》今日《きょう》来《き》てないね♡
さみしい歩美《あゆみ》であった。
バカヤロ――そんな訳《わけ》あるか!!
ボコッ
わーなんだ!?
I♡AYUMI
うわーアドバルーン懐《なつ》かしいー。
すいません羽衣《はごろも》が足《た》りなくて、3本《ぼん》しか作《つく》れませんでした。
1本《ぽん》でよかったのに!!

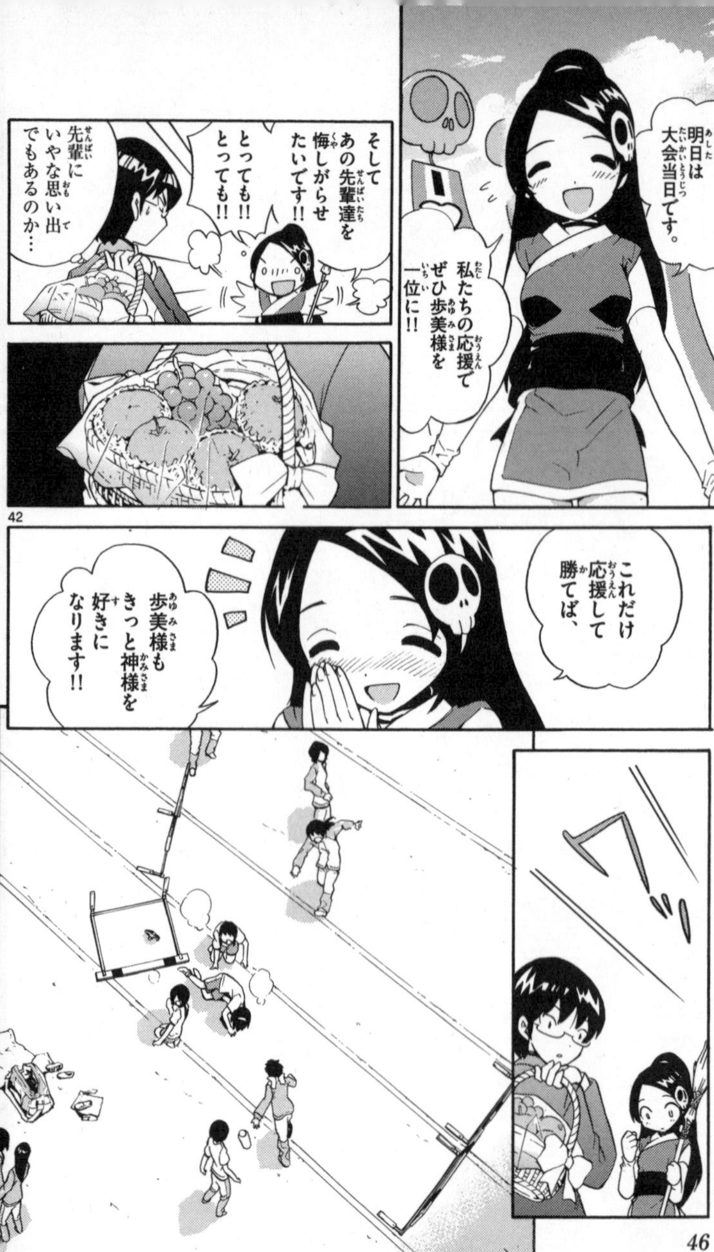

いよいよ明日《あした》は大会当日《たいかいとうじつ》です。
私《わたし》たちの応援《おうえん》でぜひ歩美様《あゆみさま》を一位《いちい》に!!
そしてあの先輩達《せんぱいたち》を悔《くや》しがらせたいです!!
とっても!!とっても!!
先輩《せんぱい》にいやな思《おも》い出《で》でもあるのか…
これだけ応援《おうえん》して勝《か》てば、
歩美様《あゆみさま》もきっと神様《かみさま》を好《す》きになります!!

ええ——？
保健室
ねんざ——!?
なんで……
大会《たいかい》は明日《あした》なのに……
なんか変《へん》じゃなかった？今日《きょう》のハードル。
そうよ!!あそこだけ台《だい》の間隔《かんかく》短《みじか》かった!!
でなかったらすっ転《ころ》ぶわけないよ!!
誰《だれ》が動《うご》かしたのかな…

絶望的《ぜつぼうてき》です〜
大会《たいかい》で優勝《ゆうしょう》してくれないと私《わたし》たち…
しゃ
しゃ
ケガ…
応援《おうえん》……
ハードル……
先輩《せんぱい》……
見《み》えたぞ。
エンディングが!!

ええ!?
まちがいない!!
今《いま》、攻略《こうりゃく》90%《パーセント》辺《あた》りだ。
90%《パーセント》!?
ど、どうしてわかるのですか?
まったく同《おな》じ展開《てんかい》のゲームを…
やったことがある。
『ソルフェージュ』のそなたか『キャラメルドロップ』のハッカか迷《まよ》ってた。
でもケガした後《あと》行《い》った場所《ばしょ》で分岐《ぶんき》した。ハッカだ。
……
まさかそのゲーム通《どお》りにやるんですか?
まさか。
名前《なまえ》ぐらい変《か》えるさ。
うまく行《い》きますように…
45
おい!!
ここが勝負《しょうぶ》だ。

………今《いま》から、
告白《こくはく》しにいくぞ!!
か…神様《かみさま》…
キューン
どうしたのよ桂木《かつらぎ》…
こんなとこでなんか用《よう》?

しばらく私《わたし》運動場《うんどうじょう》には用《よう》ないよ!!
しかも呼《よ》び出《だ》しの手紙《てがみ》が乗《の》っかってたこれ!!
ズ
これイヤミ!?
御見舞
こんなもんもらって喜《よろこ》ぶ訳《わけ》ないでしょ!!
それ食《た》べて元気《げんき》出《だ》して、
明日《あした》の大会《たいかい》出《で》てもらおうと思《おも》って。
うお!!
この足《あし》を見《み》て言《い》え!!
ヒュ
大会《たいかい》なんか出《で》られると思《おも》うの!?

思《おも》う。
だって…ケガなんかしてないから。
ピクッ
な…
…ハードルでこけたくらいでケガなんかしないよ。

走《はし》ったことも ないくせに!!
スピードを 考《かんが》えてよ!!
確《たし》かに… 全力《ぜんりょく》で走《はし》って 転倒したら 危険《きけん》だよ。
でも… あの時《とき》は 全力《ぜんりょく》で走《はし》って なかった。
ドド
な… なんで… わかるの よ。
そ… そんな の…
髪《かみ》、
くくって なかった。
49
!
本気《ほんき》出《だ》す時《とき》は いつもくくって たよね。
もしかして ……
最初《さいしょ》から コケるつもり だった?

これでよかったのよ。先輩《せんぱい》たちもこれで大会《たいかい》に出《で》られる——
先輩《せんぱい》たちの言《い》うとおりだよ。
先生《せんせい》の前《まえ》でたまたま走《はし》れちゃって選手《せんしゅ》になっちゃってさ…
ずっと練習《れんしゅう》してんだけど、タイム全然《ぜんぜん》出《で》ないし…
私《わたし》なんか…私《わたし》なんか出《で》ない方《ほう》がいいんだよ。

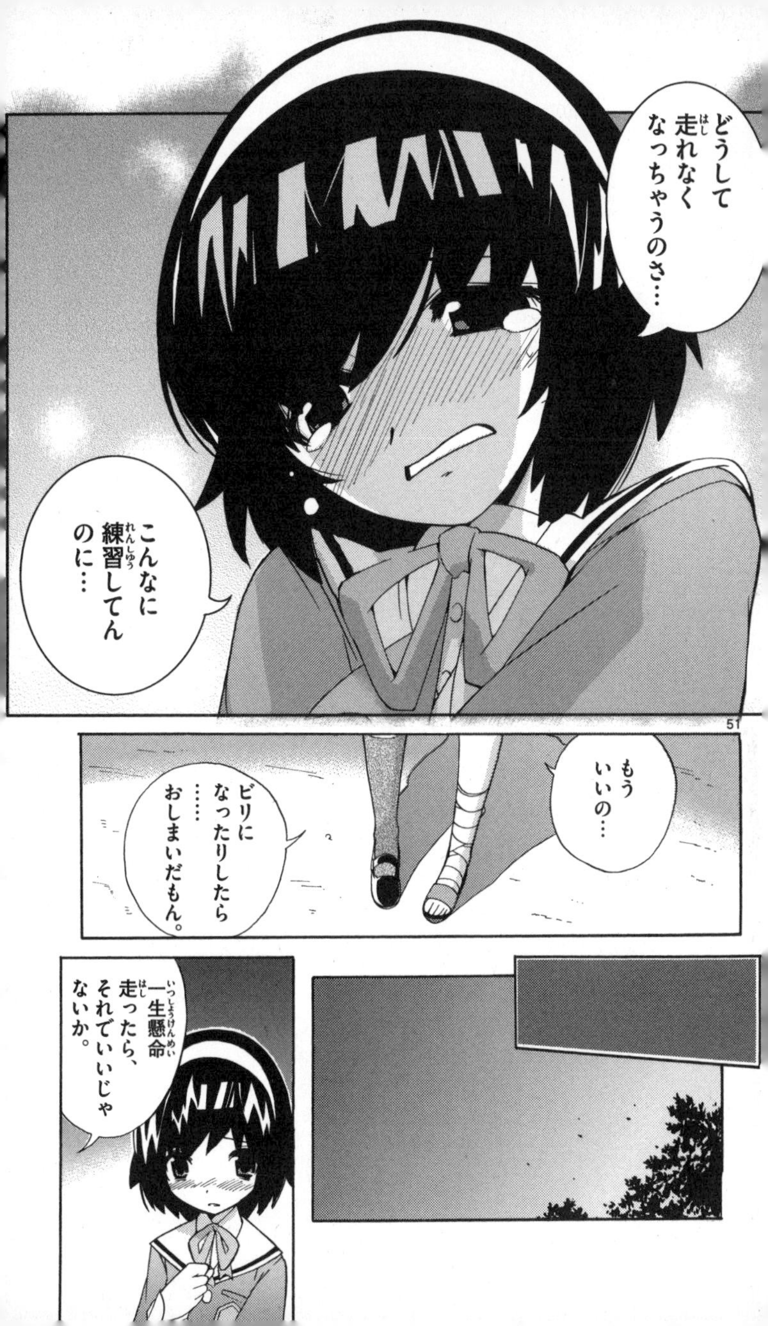
どうして走《はし》れなくなっちゃうのさ……
こんなに練習《れんしゅう》してんのに…
もういいの…
ビリになったりしたら……おしまいだもん。
一生懸命《いっしょうけんめい》走《はし》ったら、それでいいじゃないか。

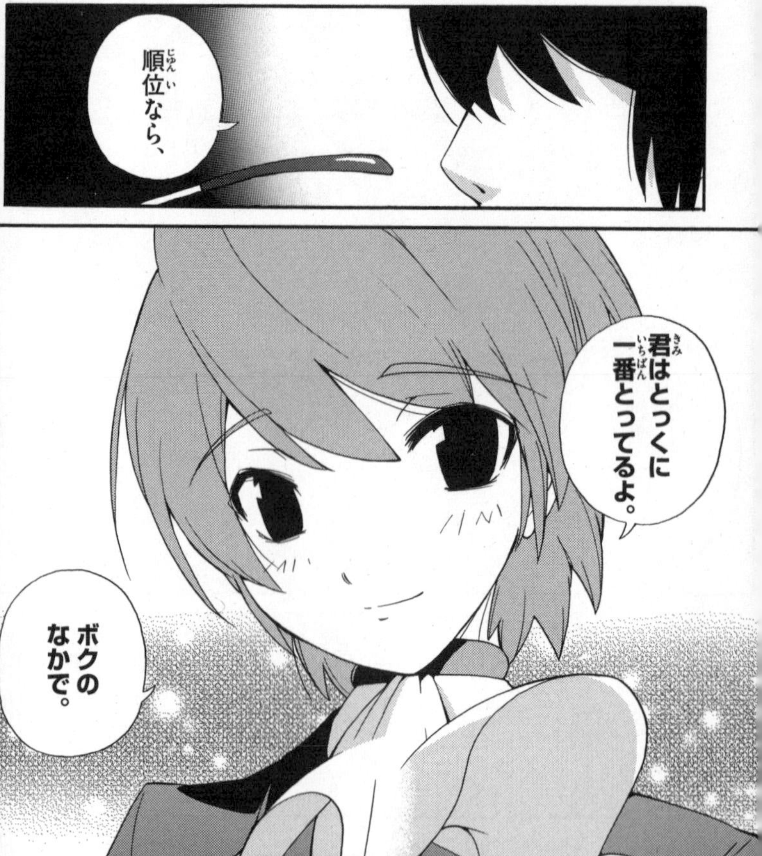
順《じゅん》位《い》なら、
君《きみ》はとっくに一番《いちばん》とってるよ。
ボクのなかで。
52

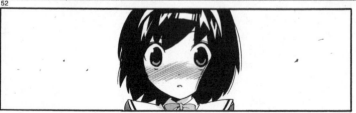

!
ボコ
バ、バカー!!
な、何《なに》キモいこと言《い》ってんのよ!!
ボコ
ボコン
大体《だいたい》あんたが変《へん》な応援《おうえん》するから…

来《き》てくれる？

明日《あした》も……
応援《おうえん》に来《き》てくれる？
う…うん…
……ありがと。

出《で》ました!!
勾留《こうりゅう》ビン!!

ゴゴゴゴゴ
駆《か》け魂《たま》勾留《こうりゅう》!!
シュウウウ
やった——!!
神様《かみさま》ありがとうございます!!

この後《あと》、
歩美《あゆみ》は大会《たいかい》に出場《しゅつじょう》し、
ぶっちぎりで優勝《ゆうしょう》した。
すごいー歩美《あゆみ》ーー
ふっふっふどうだ!!
見《み》て桂木《かつらぎ》っ、新聞《しんぶん》のっちゃったよ!!
あ、あれ?
なんで私《わたし》、あんたなんかに話《はな》しかけてんだろ…

歩美《あゆみ》は攻略《こうりゃく》の間《あいだ》の記憶《きおく》を丸々《まるまる》失《うしな》っていた。
？
ま、その方《ほう》が好都合《こうつごう》なのか…
高原《たかはら》……
ボン
おめでとう。
え？あ？
ど、どうも……
？
な、何《なに》を言《い》ってるんだ、ボクは!?
？
？
もう無関係《むかんけい》だろ!!
現実《リアル》なんてほっとけばいい!!

そういえば、
よーし、朝《あさ》のHR《ホームルーム》をはじめる。
あいつはどこ行《い》った？
神様《かみさま》！感服《かんぷく》いたしました!!
やっぱりあなたは落《お》とし神《がみ》です!!
私《わたし》、神様《かみさま》について行《い》きます!!
早速《さっそく》手続《てつづ》きをして参《まい》りますので!!
手続《てつづ》き…
なんだそれは？
おいオタメガ!!なんだあれ!!
どこに隠《かく》してたあんなの！
ゴッ

本日転校《ほんじつてんこう》
してきました
桂木《かつらぎ》エルシィです。
シィ
お兄様の
桂馬《けいま》ともども
よろしくお願《ねが》い
いたします。
おいおい
おい!!
どういう
設定《せってい》だ
そりゃ!!

62

FLAG《フラグ》.2
あくまでも妹《いもうと》です

〝前回《ぜんかい》のお話《はなし》〞
ねぐせ
チョン チョン
♪
ボクの名《な》は
桂木桂馬《かつらぎけいま》。
ゲームの発売日《はつばいび》と
スポーツ中継《ちゅうけい》の
延長《えんちょう》を認《みと》めない
17歳《さい》。
ゲームの
世界《せかい》に
生《い》きて
幾年月《いくとしつき》。
いつしか
ギャルゲ攻略《こうりゃく》の
天才《てんさい》…
「落《お》とし神《がみ》」と
呼《よ》ばれる
ように
なっていた。
ゲームよりも
純度《じゅんど》の低《ひく》い
〝現実《リアル》〞になど、
フッ
ゲーマー。
オタメガネ。
なんの興味《きょうみ》もない!!
ところが!!
突然《とつぜん》空《そら》から
女《おんな》が降《ふ》ってきて
すべてが変《か》わった!!
地獄《じごく》から来《き》たと
言《い》いはる
その女《おんな》の
差《さ》し金《がね》で、
ボクは
とんでもない
仕事《しごと》を
させられた。

人間《にんげん》の心《こころ》のスキマに逃《に》げ込《こ》んだ悪人《あくにん》の魂《たましい》を追《お》い出《だ》すために、
現実《リアル》の女《おんな》を恋《こい》に落《お》とすことになっちまった!!
しかもこれらの出来事《できごと》が!!
ボタンも押《お》してないのに勝手《かって》に進行《しんこう》してしまうんだよ!!
プレイヤーの都合《つごう》をまったく考慮《こうりょ》しないこの鈍感《どんかん》な展開《てんかい》!!
改《あらた》めてクソゲーだ!!
現実《リアル》は!!
神《かみ》の見《み》えざる手《て》

とどめに!! その地獄《じごく》女《おんな》、
ボクの妹《いもうと》を名乗《なの》って同《おな》じクラスに転校《てんこう》してきやがった!!
ど…どういうつもりだあいつ…
わいわい
へー この娘《こ》、桂木《かつらぎ》の妹《いもうと》?
あらら
ガヤ
ガヤ
かっわい〜〜〜!!
妹《いもうと》なのに同《おな》じ学年《がくねん》なんだ。
エルシィって本名《ほんみょう》ー?
ガヤ
「なんか」って失礼《しつれい》ですよ!?
かみ…お兄様《にいさま》はすごい人《ひと》なんです!!
本当《ほんとう》に妹《いもうと》——?
オタメガ桂木《かつらぎ》なんかにゃもったいないよ——

4

今《いま》に!!
お兄様《にいさま》は
この世《よ》のすべての
女性《じょせい》の憧《あこが》れに
なるんですから!!
HAHAHA!
放課後《ほうかご》
♪チントン
シャン
ピロリーン♪
ついてくんな!!
お前《まえ》とは
もう一切《いっさい》
接触《せっしょく》しないぞ!!
この悪魔《あくま》!!

か、神様《かみさま》待《ま》ってください——っ。
がちゃ
がちゃ
私《わたし》、まだ人間界《にんげんかい》の右《みぎ》も左《ひだり》もわからないんです。
言《い》った通《とお》り駆《か》け魂《たま》は捕《つか》まえたぞ!!
もう契約《けいやく》は終《お》わりだろ!?
なんだそのフロシキ。
このギロチン首輪《くびわ》!!
早《はや》く外《はず》せ!!
まだ契約《けいやく》は終《お》わっていません。
一匹《いっぴき》駆《か》け魂《たま》を捕《つか》まえただけです…

この街《まち》にはまだ…
駆《か》け魂《たま》が沢山《たくさん》、忍《しの》んでいます!!
お、おい!!
この街中《まちじゅう》の駆《か》け魂《たま》をみんな捕《つか》まえろってのか!?
で、ですから、私《わたし》も神様《かみさま》と更《さら》に協力《きょうりょく》できるように、
室長《しつちょう》に頼《たの》んで色々《いろいろ》「手続《てつづ》き」をしてもらいました。
室長《しつちょう》
妹《いもうと》で同《おな》じクラスなら、ずっと一緒《いっしょ》にいられますので…
コラ、
ま、まさか家《いえ》にまで来《く》るつもりじゃないだろうな?
こちらでは兄妹《きょうだい》は同居《どうきょ》しないのですか?
だから妹《いもうと》じゃねーだろ!!
?

現実《リアル》への譲歩《じょうほ》もここまでだ!!
家《いえ》への進出《しんしゅつ》なんてさせるものか!!
まーまー珍《めずら》しい!!
桂馬《けいま》にお友達《ともだち》がいたなんて!
桂馬《けいま》の母《はは》・麻里《まり》
座《すわ》って座《すわ》って。
うち席《せき》だけは沢山《たくさん》あるからホホホ。
友達《ともだち》じゃない。
桂馬《けいま》の家《いえ》
カフェ・グランパ
OPEN

まあ、優《やさ》しそうなお母《かあ》さま。
入《はい》ってくんなよ!!
ガタガタ

で…
今日《きょう》はなんの用《よう》——?

私《わたし》、
ここのお父様《とうさま》の隠《かく》し子《ご》です。
ガラ
ガシャン
ホ、
ホホホおもしろい子《こ》。
やめて——っ!
これ…私《わたし》の死《し》んだ母《はは》からの手紙《てがみ》です。
どれどれ…

9

パ
ピ
コ
もしもし
あなた?
うん、
私《わたし》よ。
話《はなし》、
聞《き》かせて
もらおうか?
なんの話《はなし》!?
自分《じぶん》の
下半身《かはんしん》に聞《き》けー!!
この外道《げどう》!!
ゴス
ガス
……
元暴走族《もとぼうそうぞく》。

あ、あの手紙《てがみ》は……
☆○■×
☺♨○♨
室長《しつちょう》入魂《にゅうこん》のニセ手紙《てがみ》です。
へえ、明日《あした》からまたしばらく外国《がいこく》？
取材《しゅざい》の数《かず》だけ子供《こども》作《つく》ってんだろ、てめーは!!
もう帰《かえ》ってくんな！
11
桂馬《けいま》！父《とう》さんのことは忘《わす》れな！
もう奴《やつ》は死《し》んだ!!
安心《あんしん》おし!!
あんたら兄妹《きょうだい》の面倒《めんどう》は私《わたし》が見《み》る!!
待《ま》て待《ま》てー!!

ボクは認《みと》めないぞ!!
う、う〜て、でも…
お母様《かあさま》は一緒《いっしょ》に住《す》んでいいって…
その代《か》わり一人《ひとり》追放《ついほう》されそうだぜ。
母《かあ》さんは今《いま》、離婚届《りこんとどけ》を鋭意《えいい》執筆中《しっぴつちゅう》だ!!
わ、私《わたし》なんでもします!!家《いえ》にいさせてください!!
ダメだ。
……お前《まえ》と一緒《いっしょ》に住《す》むことはできない。

お前《まえ》は、
妹《いもうと》として設定《せってい》が甘《あま》い!!
せ…設定《せってい》。
予想外《よそうがい》の理由《りゆう》…
お前《まえ》にいい言葉《ことば》を教《おし》えてやろう。
妹《いもうと》の品質《ひんしつ》示《しめ》すエンブレムBMW《ビーエムダブリュー》。

び、BMW《ビーエムダブリュー》!?
……それは妹《いもうと》が妹《いもうと》であるための基本条件《きほんじょうけん》。
まずBLOOD《ブラッド》血縁《けつえん》!!
血《ち》がつながってること!!
義妹《ぎまい》とか!!妹分《いもうとぶん》みたいな!!軟弱《なんじゃく》なキャラは所詮《しょせん》他人《たにん》他人《たにん》!!
そしてMEMORY《メモリー》二人《ふたり》の思《おも》い出《で》!!
家族《かぞく》ならではの質量《しつりょう》そろった思《おも》い出《で》!!
これぞ兄妹《きょうだい》の代《か》えがたい絆《きずな》!!
何《なに》より兄《あに》をうやまう心《こころ》。
WONICHAN MOE ヲ兄《にい》ちゃん萌《も》え!!

……最後《さいご》の一《ひと》つ、急《きゅう》に苦《くる》しくなったような…
…
お、限定版《げんていばん》まだ残《のこ》ってる。
せ、設定《せってい》なんて別《べつ》にいいと思《おも》いますけど……!!
別《べつ》にいいで済《す》ましてきた結果《けっか》、現実《リアル》は腐《くさ》ってゆくのであります。
世界《せかい》はもっと厳密《げんみつ》であるべきだ。
妹未満《いもうとみまん》のやつを妹《いもうと》とは呼《よ》べないいな!!
お前《まえ》とは思《おも》い出《で》はないし!!
ボクをひどい目《め》にばかりあわせるし!!
そもそも同《おな》じ血《ち》が流《なが》れてないだろーが!!

ポン
カリ
!
タラ
キュ

こ…これで、
同《おな》じ血《ち》が流《なが》れましたよ……
私《わたし》、なんとしても駆《か》け魂《たま》狩《が》りを続《つづ》けたいんです!!
どうかおそばにおいてください。
こ、こ…
断《ことわ》る!!
こちら同《おな》じソフトの通常版《つうじょうばん》と限定版《げんていばん》になっておりますが…
それでいいです。
こちらも同《おな》じソフトの通常版《つうじょうばん》と限定版《げんていばん》に…
いいです。
こちらも…
いーんだよ!!
神様《かみさま》——
神様《かみさま》、また難《むずか》しいこと言《い》ってたな…
えーと……

よーするにいい妹《いもうと》になればいいんだ!!
うんうん!!まかせてください!!
おにーさま——っ。
神様《かみさま》でおにーさま——
神《かみ》にーさま——っ。
なんだお前《まえ》!!出《で》てけよ——!!
まあまあおにーさま♡。
ここが神様《かみさま》の部屋《へや》ですか?
見《み》るなよ!!
神《かみ》にーさま、お腹《なか》がすきましたよね?

お母様《かあさま》が
お忙《いそが》しいので…
今晩《こんばん》は
私《わたし》が夕食《ゆうしょく》を
作《つく》りました!!
♪
もしもし警察《けいさつ》?
家《いえ》の中《なか》に
殺人《さつじん》シェフが…
は、羽衣《はごろも》を
はずせ!!
ガタ
ガタ
♪
もう読《よ》めてるぞ、
このパターン!!
くそマズい
料理《りょうり》出《だ》して
くるんだ!!
メニューは
パスタか
カレーかな!!
わーー
すごい!!
メニュー
当《あ》たり
ました。
はいーー
ペスカトーレ
三途《さんず》仕立《じた》て
ーー

ギャーン
グエ…
三途《さんず》の川《かわ》の魚《さかな》を使《つか》ってるんですよー。
ルンルン♪
ルルル
ルンルン
人間界《にんげんかい》に来《く》る前《まえ》に沢山《たくさん》釣《つ》っておいたんです。
こっちの魚《さかな》より2倍《ばい》は美味《おい》しいですよ♡
見《み》た目《め》は5万倍《まんばい》悪《わる》いわ!!
おご!?
ギッギッ…
神《かみ》にーさまのために心《こころ》をこめて作《つく》りました♡
はい、あーん。
おごごご――
意外《いがい》とうまいな。
でしょう?
ギャン
グエッ
この悲鳴《ひめい》は気《き》になるが…

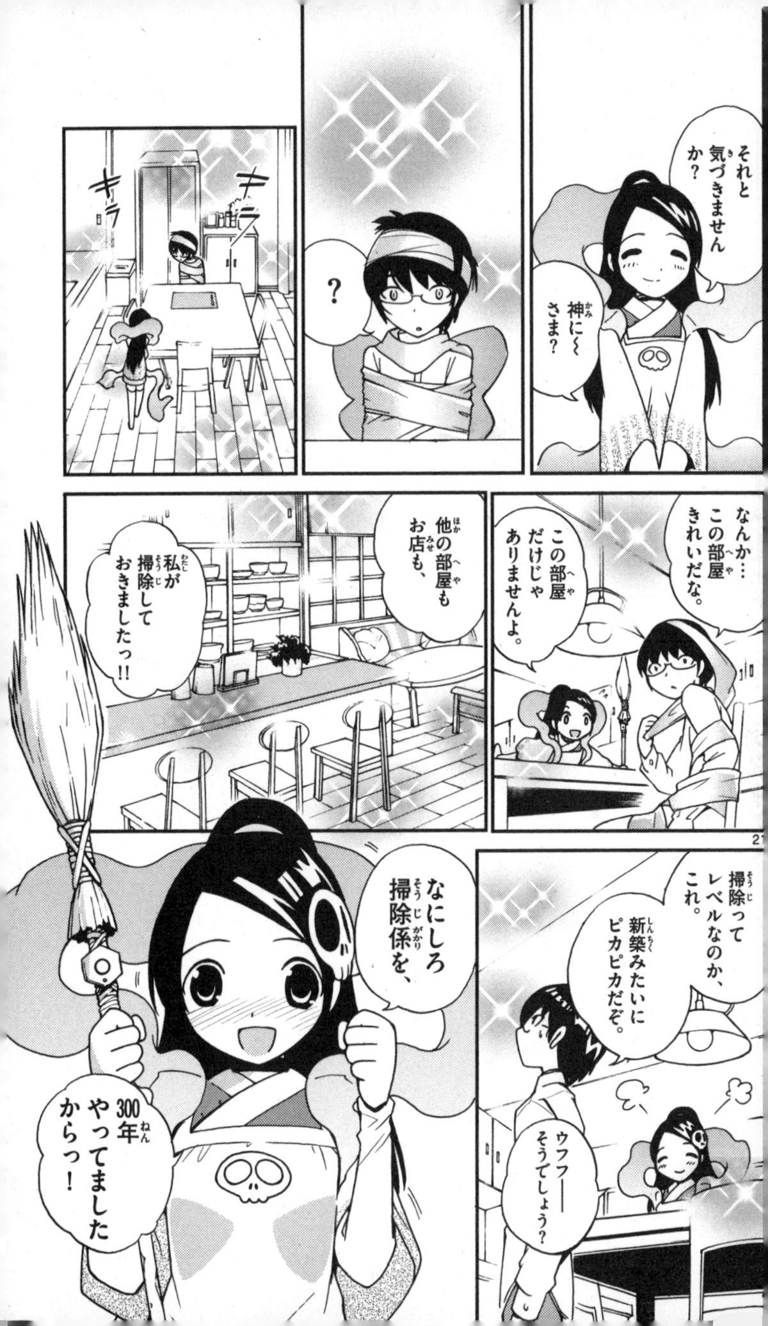
それと気《き》づきませんか？
神《かみ》に〜さま？
？
キラ
キラ
なんか…この部屋《へや》きれいだな。
この部屋《へや》だけじゃありませんよ。
他《ほか》の部屋《へや》もお店《みせ》も、
私《わたし》が掃除《そうじ》しておきましたっ!!
掃除《そうじ》ってレベルなのか、これ。
新築《しんちく》みたいにピカピカだぞ。
ウフフ——そうでしょう？
なにしろ掃除係《そうじがかり》を、
300年《ねん》やってましたからっ！

300年《ねん》!?
はいっ このホウキとは 298年《ねん》の 付《つ》き合《あ》いです。
このホウキさんは すごいんですよー。
魔力《まりょく》が 込《こ》められていて、 みるみるゴミを はけちゃうんです。
お見《み》せ しましょう。
ほら、神様《かみさま》の 食《た》べ残《のこ》し。
こんなのは 最小《さいしょう》パワーで 十分《じゅうぶん》ですーーっ。
ひとなでて 集《あつ》まります。
…
ガラ
ガラ

おい…
あ、パワー最大《さいだい》になってた。
キュルルルル
ゴロゴロ
腹《はら》いてー!! さっきのパスタだ!!
キュルルルル
ペコペコ
あーくそ!!
どっちから怒《おこ》ればいいんだ――!!
悪魔《あくま》としてキャラ弱《よわ》いくせに、
おそるべし!!
結果《けっか》だけは常《つね》にベルゼバブ級《きゅう》だ!!

やっと一緒《いっしょ》にいるといつか破滅《はめつ》しそうだ。
一刻《いっこく》も早く追《お》い出《だ》さないと!!
まして妹《いもうと》なんて絶対《ぜったい》ダメだ!!
そうだよBMW《ビーエムダブリュー》を忘《わす》れるな。
思《おも》い出《で》もない!!
エルシィです——
契約《けいやく》したんですよ?
ありがとうございま——す。
兄《あに》を思《おも》いやる気《き》もない…
お兄様《にいさま》はすごいんです!!
お兄様《にいさま》のために、
心《こころ》を込《こ》めて作《つく》りましたよ——
24

な…なんか条件《じょうけん》が揃《そろ》い始《はじ》めているような…
や…やばいぞ…!!
しかし最後《さいご》のピースは絶対《ぜったい》はまらない!!
理由《りゆう》はカンタン、本当《ほんとう》の妹《いもうと》じゃないからだ!!
あーよかった。
フッ
ん…停電《ていでん》?
……っ、
なっなんだ!?
なんか触《さわ》ったぞ。
あ——明《あか》るくしてはダメです!!

おわぁあぁぁ!!
な…なんだー お前《まえ》は!
だ…大丈夫《だいじょうぶ》です。
羽衣《はごろも》巻《ま》いてきてますから。
あの〜〜〜 わ、私《わたし》のせいで その……
神様《かみさま》、お腹《なか》をこわしてしまったので…
せめてお尻《しり》でも流《なが》そうかと…
いらん!!
ボクは犬《いぬ》か!!
な…何《なに》をやったって家《いえ》には入《い》れないぞ!!
とってつけたような妹《いもうと》イベントくり出《だ》してきやがって!!

27

とってつけてないですよ。
私《わたし》、本当《ほんとう》の妹《いもうと》です。
私《わたし》、お姉《ねえ》さんがいるんです。
あ、あの料理《りょうり》…
お姉様《ねえさま》によく作《つく》ってあげてたんです。
私《わたし》のお姉《ねえ》さん!!すごい悪魔《あくま》なんですヨ!!

お姉様《ねえさま》は
何《なに》をしても優秀《ゆうしゅう》で…
まさに
悪魔《あくま》の中《なか》の悪魔《あくま》でした!!
それに比《くら》べて
私《わたし》は…
来《く》る日《ひ》も
来《く》る日《ひ》も
掃除《そうじ》…
お姉様《ねえさま》、
どうして姉妹《しまい》で
こんなに違《ちが》うの…
だから…
駆《か》け魂隊《たまたい》に
呼《よ》ばれた時《とき》は
もう死《し》んでも
いいって
思《おも》いました!!

やっとやっと…
悪魔《あくま》として働《はたら》けるんだもの!!
300年《ねん》も待《ま》ったんだ…
今回《こんかい》の駆《か》け魂《たま》狩《が》り…絶対《ぜったい》に失敗《しっぱい》は許《ゆる》されません!!

そんなこと、
知《し》るか!!
…………………………うっうっ……うっうっ。
なんで現実女《リアルおんな》の悩《なや》みなんかに付《つ》き合《あ》わないといかん。
プクプク
ボクはゲームの世界《せかい》の人間《にんげん》だ!!
フンイキでは流《なが》されない。
もっと論理的《ろんりてき》に正当《せいとう》でなければ…
論理的《ろんりてき》に考《かんが》えて…

お前《まえ》を、
ボクの妹《いもうと》として認《みと》める。
本当《ほんとう》ですか!?
残念《ざんねん》ながらこれが最善《さいぜん》だ。
ボクはお前《まえ》と早《はや》く縁《えん》を切《き》りたい。
だからと言《い》って追《お》い出《だ》してもイミがない。
この首輪《くびわ》があるかぎり、
お前《まえ》とボクは縁《えん》が切《き》れることがないからな。
となると、ベストな方法《ほうほう》はひとつしかない。

駆《か》け魂《たま》を捕《つか》まえまくって契約《けいやく》を終《お》わらせる!!
そのためにボクらはずっと一緒《いっしょ》にいるんだ!!
ありがと――ございます!!
触《さわ》るな!!
ボクにとって最上《さいじょう》な手《て》なだけだ。
ついでにお前《まえ》もいい成績《せいせき》あげて、
姉《ねえ》ちゃんにほめられたらいいさ。
神様《かみさま》……
ありがとうございます。

あ、神様《かみさま》っ!!
私《わたし》、お風呂場《ふろば》でいーことしたんですっ!
ホラ、神様《かみさま》のゲーム機《き》――
きれーにしておきましたよ――
お…おい、水洗《みずあら》いしたのか…?
いえいえ、もう念入《ねんい》りにせっけん洗《あら》いですよ♡
やっぱ今《いま》すぐ出《で》てけお前《まえ》は――!!!
ええ――神様《かみさま》――っ!
ちょっと桂馬《けいま》――家《いえ》が大変《たいへん》よ!!

FLAG《フラグ》.3 ベイビー・ユー・アー・ア・リッチ・ガール

ボクの名《な》は桂木桂馬《かつらぎけいま》。17歳《さい》 天才《てんさい》ギャルゲーマー。
やっぱり
エルシィなる女《おんな》と地獄《じごく》から逃《に》げた駆《か》け魂《たま》を捕《つか》まえることにした男《おとこ》…
仕方《しかた》ないだろ!!
あの疫病神《やくびょうがみ》と早《はや》く縁《えん》を切るにはこれしかなかったんだ!
人《ひと》の心《こころ》のスキマに隠《かく》れる魂《たましい》か…
一体《いったい》、何匹《なんびき》この辺《あた》りに隠《かく》れてるんだろうな…
えー エヘン エヘン。

お兄様《にいさま》こと神様《かみさま》…一緒《いっしょ》にお仕事《しごと》ができることになってエルシィは幸《しあわ》せです。
つきましては今日《きょう》のお昼《ひる》、一緒《いっしょ》にお話《はな》ししませんか？
追伸《ついしん》。お風呂《ふろ》のことは恥《は》ずかしいので忘《わす》れてください。
ギャフ
どうして読《よ》むんですか〜〜〜!!
いーじゃん、用事《ようじ》は伝《つた》わったよ。
で、お風呂《ふろ》って何《なに》？
お風呂《ふろ》って何《なに》？お風呂《ふろ》って何《なに》？
お風呂《ふろ》って何《なに》？お風呂《ふろ》って何《なに》？お風呂《ふろ》って何《なに》？
何匹《なんびき》いようが関係《かんけい》ない！早《はや》く捕《つか》まえてあいつとの契約《けいやく》を終《お》わりにする!!
昼休《ひるやす》み
♪チャンドン
チャーン

4

改《あらた》めて見《み》ると…
スポーツセンター
中等部校舎《ちゅうとうぶこうしゃ》
大《おお》きな学校《がっこう》ですね——ここは。
ここが体育館《たいいくかん》…
田舎《いなか》で土地余《とちあま》ってるし、中等部《ちゅうとうぶ》も一緒《いっしょ》だからさ。
となりには大学《だいがく》まであるんだぜ。
思《おも》ってたんですが…女《おんな》の人《ひと》が多《おお》いですね。
もともと女学院《じょがくいん》だからな。
中《ちゅう》、高《こう》で男《おとこ》は200人《にん》ぐらいだろ。
対《たい》して女子《じょし》は1000人近《にんちか》くいるぞ。
1000人《にん》!?

図書館《としょかん》・シアター
高等部校舎《こうとうぶこうしゃ》
中央校舎《ちゅうおうこうしゃ》
講《こう》　堂《どう》
若《わか》い女子《じょし》の集《あつ》まる場《ば》…
駆《か》け魂《たま》の絶好《ぜっこう》の逃《に》げ場所《ばしょ》です。
舞島学園
女《おんな》が多《おお》いと好都合《こうつごう》なのか?
男《おとこ》の中《なか》には逃《に》げないのかよ。
駆《か》け魂《たま》は女《おんな》の中《なか》にしかいません。
なんで?

隠《かく》れた女《おんな》の子供《こども》として転生《てんせい》するからです。
ワ
待《ま》ちねぇ待《ま》ちねぇ!!
パンはいっぱいあるよ、ハングリー児童達《じどうたち》!!
火曜日《かようび》はお待《ま》ちかねの具《ぐ》ッドチューズデイ!!
全《すべ》てのパンの具《ぐ》が10%《パーセント》増量《ぞうりょう》だー!!!
ワァ
ワィ
ワイ
DEMETER MAIJIMA
6
あれは…
「外《そと》パン」だ。
外《そと》パン？

うちの学食《がくしょく》は高《たか》いからさ。
ソバー。
オムそばパン。
みんな学食前《がくしょくまえ》の売店《ばいてん》のパンを買《か》ってるんだ。
おすなー!!
オムそばをくれ!!
オムそばパンってなんですか?
焼《や》きそばパンを玉子《たまご》で包《つつ》んであるんだ。
ソースがオリジナルでうまいらしい。
フラ
おいしそう…
フラ〜
ドロ
ドロ
ドロ
ドロ
き、来《き》ましたぁ!!
ドロ
駆《か》け魂《たま》サイン。
ドロ
ドロ
こ、これはいきなり近《ちか》いですよ!!
ドロ
ドロ
一応《いちおう》、隠《かく》れた方《ほう》がいいのか?
や、やっぱりあの人《ひと》ゴミの誰《だれ》かか?
い、いえ、あそこではないような…
DEMETER
MAIJIMA
ドロ
ドロ
ドロ

ギッ
静《しず》かに!!
そこの庶民《しょみん》たち!!
DEMETER
MAIJIMA

美生《みお》だ。
青山家《あおやまけ》の…
森田《もりた》。
前《まえ》から気《き》になってた、あの人《ひと》だかりはなんだ？
外《そと》パン…でございます。
金《かね》に不自由《ふじゆう》な民《たみ》のために慈善《じぜん》で設《もう》けられた施設《しせつ》ですな。
変《へん》な物《もの》が売《う》ってる。
オムそばパンだと。
一《ひと》つもらおう。
君《きみ》たち、どいてくれ!!
オムそばパン一コ100円《えん》ね。
一万円《いちまんえん》？
釣《つ》りないよ、小銭《こぜに》ない？

悪《わる》いが生《う》まれてこの方《かた》、
小銭《こぜに》なんて持《も》ってない。
ではこうしよう。
この金《かね》で買《か》えるだけもらう。
はい、オムそば終了《しゅうりょう》――
おい待《ま》て!!
どーゆーことだよ!!
わめくな庶民《しょみん》。
私《わたし》のように金《かね》持《も》ちになれ。
で…駆《か》け魂《たま》の持《も》ち主《ぬし》は?
あの娘《むすめ》です。

青山《あおやま》美生《みお》16歳《さい》
高等部《こうとうぶ》
2年《ねん》A組《ぐみ》。
青山《あおやま》中央《ちゅうおう》産業《さんぎょう》令嬢《れいじょう》。
1月《がつ》2日《か》生《う》まれ…
それにしてもあの態度《たいど》、許《ゆる》せません!!
私《わたし》たち庶民《しょみん》のオムそばパンを!!
プン
プン
お前《まえ》は庶民《しょみん》じゃないだろ。
あんなキツそうな娘《むすめ》を恋《こい》に落《お》とすなんて…
またこれは骨《ほね》が折《お》れそうです。
何《なに》言《い》ってる。
まだ楽《らく》そうでホッとしてた所《ところ》だ。
えー!?
いい言葉《ことば》を教《おし》えてやろう。
Date
No.

ツンキャラは
純粋《ピュアネス》守《まも》る
鎧《よろい》だね
アイアンヴァージン。
ドドン
まけ
あのタイプは派手《はで》なヨロイで固《かた》めてるが、
中身《なかみ》は繊細《せんさい》で普通《ふつう》以上《いじょう》にピュアだ。
鎧《よろい》さえ破《やぶ》れれば、
デレッと柔《やわ》らかい気持《きも》ちが出《で》てくるさ。
話《はな》してもいないのにわかるんですか?
わかる!!
猫目《ねこめ》で!! 明《あか》るい髪色《かみいろ》で!! デコが出《で》ててツインテールの女《おんな》は!!
99%《パーセント》!! そーゆー女《おんな》なんだよ!!
ドン

300人《にん》は見《み》たな。
ゲームで…？
当然《とうぜん》。
あれでチビならもう100%《パーセント》だ。
うーん、チビとまでは。
あ、そういえば、
すごい上《あ》げ底《ぞこ》の靴《くつ》履《は》いてた…
……
1日《にち》おつかれ様《さま》でございました。
うん。
ブロロ‥
すごい車《くるま》…
神様《かみさま》…
それでどうやってあの娘《むすめ》の鎧《よろい》を…？

神様《かみさま》？
なんだ もう中《なか》に…
独《ひと》りで話《はな》しちゃいました。
はずかしぃー
オレ…
お前《まえ》のことが好《す》きだ。

14

初《はじ》めて会《あ》った時《とき》から…
ずっと…
は…はう!?
か…神様《かみさま》!?
バタ
バタ
わわわ あわ あああ、
ガシャ
ガシャ
そ、そんな突然《とつぜん》〜
じ…
わ…私《わたし》たちはその…協力者《バディー》でその…あの、
わ…私《わたし》なんか神様《かみさま》とつり合《あ》いが……
パタ
パタ
どーだった? 今《いま》の告白《こくはく》。
え??
どーもしっくりこなかったな、今《いま》のは…

『こんぷれすらぶ』の告白《こくはく》の方《ほう》がいいかなぁ…
あ…あの何《なに》を…
先制《せんせい》パンチだ。
先制《せんせい》パンチ？
攻撃的《こうげきてき》なタイプは意外《いがい》と打《う》たれ弱《よわ》いもんだ。
相手《あいて》のペースにさせないようにしないと。
最初《さいしょ》の出会《であ》いでいきなり告白《こくはく》する。
こっちから開幕《かいまく》パンチって訳《わけ》。
プレイしたゲームの告白《こくはく》シーンを選《えら》びだして、
いいセリフを練習《れんしゅう》しておかないとな……

じゃー今《いま》は冗談《じょうだん》だったんですか!!
大体《だいたい》使《つか》えそうなのは書《か》いた。

順番《じゅんばん》に言《い》うから、
印象的《いんしょうてき》だったの選《えら》んでくれ。

わ、
私《わたし》が?
では2番目《ばんめ》。
ずっと君《きみ》を見《み》てた。
お…おふざけでもて…照《て》れくさいですね。
ふざけてなんかいない!!

本気《ほんき》なんだ。
君以外《きみいがい》のことは考《かんが》えられない。
は…うえうあうえう…
ボッ
紙《かみ》をしっかり見《み》ろ!!
こーゆーセリフだ!!
じゃあ次《つぎ》、3番目《ばんめ》!!
……
おーい!!
あ…は、はい…
翌日《よくじつ》

18

好《す》きだ。
付《つ》き合《あ》ってくれ。

いでででで、
ギブアップ——
フン、
バタン
庶民《しょみん》ね。
ブロロ…
ど…どうして断《ことわ》るのでしょー!?
ありえないですよ、ありえない——!!
マユ一《ひと》つ動《うご》かなかったなァ…
断《ことわ》られるのも想定内《そうていない》だったけど…
思《おも》ってたのと少《すこ》し違《ちが》う…何《なに》か前提《ぜんてい》を間違《まちが》ったかな?

それよりもう一《ひと》つの方《ほう》は？
はいっ!!
みんなが神様《かみさま》を見《み》てるスキに、
車《くるま》に羽衣《はごろも》を結《むす》びつけておきました。
その羽衣《はごろも》はすごいな、どんな形《かたち》にもなるのか？
羽衣《はごろも》の伸《の》びる範囲《はんい》ですけどね。
これをたどれば、あの娘《むすめ》の家《いえ》ですね。
現実《リアル》は家《いえ》を突《つ》き止《と》めるのも大変《たいへん》だな。
女《おんな》の子《こ》の居場所《いばしょ》にはアイコンが付《つ》くだろフツーは。
なんのフツーでしょう？
ああ!!あれですよ神様《かみさま》!!

わー さすが お金《かね》持《も》ち!!
すごい お屋敷《やしき》です――!!
おい、違《ちが》うぞ。
羽衣《はごろも》は続《つづ》いてる。
この家《いえ》の中《なか》に入《はい》ってない。
あ、あった、あの車《くるま》だ!!
屋敷《やしき》の角《かど》に止《と》まってる。
やっぱりここが家《いえ》なのでしょうか。
なんであんなとこに車《くるま》止《と》める必要《ひつよう》がある。

バタン
美生《みお》だ。
なにか別《べつ》の用《よう》かな…
ボロ…
わー
掃除《そうじ》しがいのある建物《たてもの》。
ボロアパート潰《つぶ》してマンションでも建《た》てるのか？
智恵院

ガシュ
青山
ギィ
ただいま。

FLAG《フラグ》.4 ドライヴ・マイ・カー
うーーっ!! 神様《かみさま》ーー!!
舞島学園《まいじまがくえん》で金持《かねも》ちで知《し》られ、駆《か》け魂《たま》に隠《かく》れ所《どころ》に使《つか》われている青山美生《あおやまみお》さん⑯が実《じつ》はこんなボロアパートに住《す》んでいるなんて、本当《ほんとう》なのでしょうか？
前回《ぜんかい》までのあらすじどうも。
お嬢様《じょうさま》、私《わたし》はもうついて行《い》けません!!
もう金持《かねも》ちのフリはおやめください!!

私《わたし》は青山中央産業《あおやまちゅうおうさんぎょう》社長《しゃちょう》の娘《むすめ》よ!!
この生《い》き方《かた》は変《か》えられないわ!!
FLAG《フラグ》.4
ドライヴ・マイ・カー

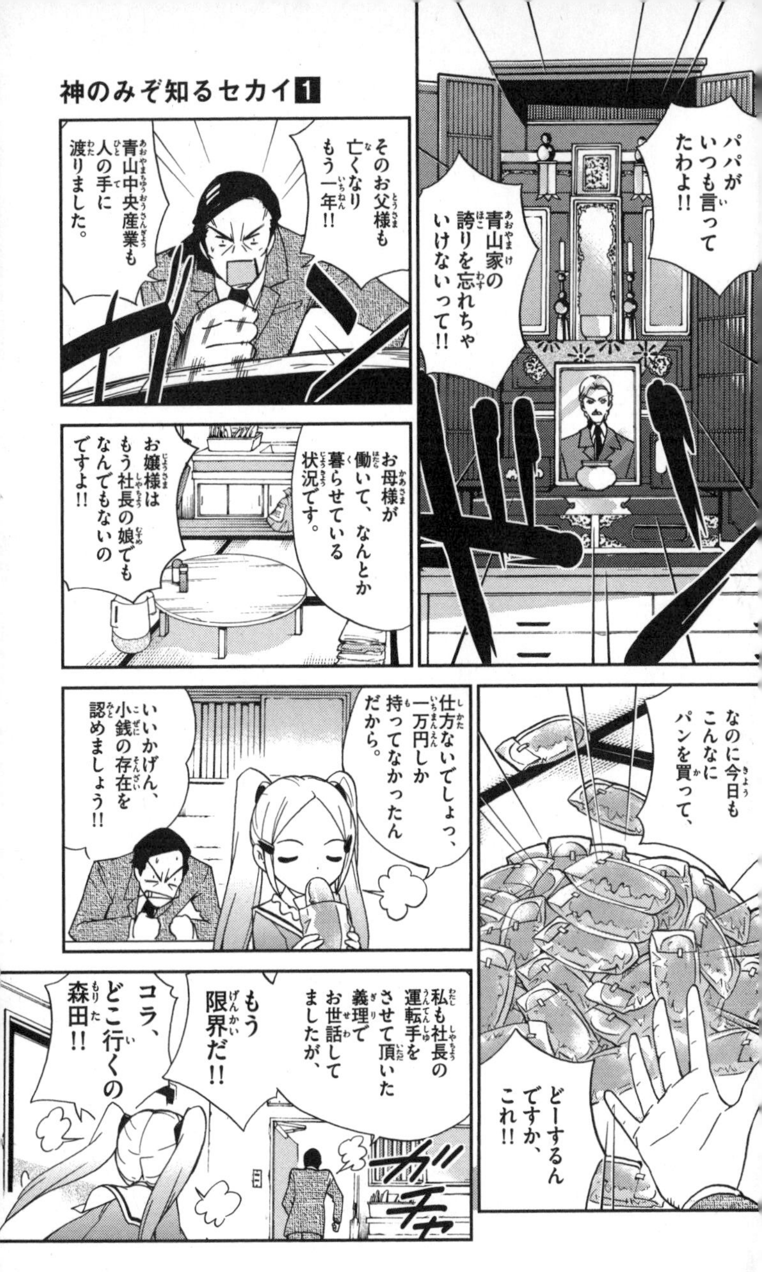
パパがいつも言《い》ってたわよ!!
青山家《あおやまけ》の誇《ほこ》りを忘《わす》れちゃいけないって!!
そのお父様《とうさま》も亡《な》くなりもう一年《いちねん》!!
青山中央産業《あおやまちゅうおうさんぎょう》も人《ひと》の手《て》に渡《わた》りました。
お母様《かあさま》が働《はたら》いて、なんとか暮《く》らせている状況《じょうきょう》です。
お嬢様《じょうさま》はもう社長《しゃちょう》の娘《むすめ》でもなんでもないのですよ!!
なのに今日《きょう》もこんなにパンを買《か》って、
どーするんですか、これ!!
仕方《しかた》ないでしょっ、一万円《いちまんえん》しか持《も》ってなかったんだから。
いいかげん、小銭《こぜに》の存在《そんざい》を認《みと》めましょう!!
私《わたし》も社長《しゃちょう》の運転手《うんてんしゅ》をさせて頂《いただ》いた義理《ぎり》でお世話《せわ》してましたが、
もう限界《げんかい》だ!!
コラ、どこ行《い》くの森田《もりた》!!
ガチャ

待《ま》…
バッ
お、お前《まえ》はさっきの告白庶民《こくはくしょみん》!?
な…なんで!?
どうしてここを!?
あ、あのこの家《いえ》は、
あの、
ブロロ…
……

ま、また告白《こくはく》しに来《き》たの!?
しょ、庶民《しょみん》の分《ぶん》をわきまえなさい!!
美生様《みおさま》、本当《ほんとう》に貧乏《びんぼう》だったんですね。
ぴょこ
自分《じぶん》だけ逃《に》げやがって。
のぞき見《み》してたと思《おも》われたでしょうか?
100%《パーセント》イエス。
これはまた悪印象《あくいんしょう》ですね…
いや。
これは大《おお》きな前進《ぜんしん》だ。

ええ——っ!
また出《で》た——っ。
いい言葉《ことば》を教《おし》えてやる。
遠《とお》すぎる二人《ふたり》を「秘密《ひみつ》」がピッタンコ——!!
ピッタンコ～
タンコ～
ンコ～
美生《みお》が貧乏《びんぼう》というのは、舞校《まいこう》の誰《だれ》も知《し》らない。
誰《だれ》も聞《き》いたコトなかったからな。
つまり、ボクと彼女《かのじょ》だけが知《し》る事実《じじつ》だ。
二人《ふたり》だけの秘密《ひみつ》の共有《きょうゆう》。
これは強力《きょうりょく》な「絆《きずな》」になる。

盗《ぬす》み聞《ぎ》きで聞《き》いたヒミツでもですか!?
前《まえ》にも言《い》っただろ!! 悪印象《あくいんしょう》と好印象《こういんしょう》は変換可能《へんかんかのう》!!
どれもゲームの話《はなし》でしょう?
ボクが現実《リアル》の話《はなし》したことがあったか?
人間《にんげん》、決戦《けっせん》の場《ば》にあえて慣《な》れない武器《ぶき》を持《も》つだろうか?
決《き》めたぞ、ボクは今後《こんご》もゲーム理論《りろん》を信《しん》じて戦《たたか》う。いかなる現実《リアル》にも!!
ゴゴゴ
うーー!! サ、サムライです、神様《かみさま》!!
森田《もりた》ーーっ!!
美生攻略《みおこうりゃく》・2日《か》目《め》
あいつ…迎《むか》えに来《こ》ないつもり?

フン！落伍者《らくごしゃ》め!!
私《わたし》は一人《ひとり》でも金持《かねも》ちとしての生活《せいかつ》を守《まも》るんだから!!
とはいえ、歩《ある》いて登校《とうこう》なんてできないし…
タクシーを呼《よ》ぼうにもお金《かね》がない…
一万円《いちまんえん》、パン100コに替《か》わっちゃったからなぁ…
4か月分《げつぶん》のおこづかいの使《つか》い道《みち》としては軽率《けいそつ》だったわ。
おいしかったけど…
お嬢様《じょうさま》はもう!!
社長令嬢《しゃちょうれいじょう》でもなんでもない!!
ボクがお送《おく》りしましょう!!

8

ドン
チリリン♪
キラ
お嬢様《じょうさま》おはようございます!!
キラ

運転手不在《うんてんしゅふざい》を聞《き》き、馳《は》せ参《さん》じました。
ボクを新《あたら》しい運転手《うんてんしゅ》にお雇《やと》いください!!
こ…告白《こくはく》のぞき庶民《しょみん》!?
なんなのよお前《まえ》、昨日《きのう》から!!
し…しかも…
自転車《じてんしゃ》ぁ!?
後《うし》ろの席《せき》へどうぞ。
ゴージャスで快適《かいてき》な通学《つうがく》を提供《ていきょう》いたします。
どこが!!
カラカラ
乗《の》る訳《わけ》ないでしょ!!
歩《ある》いて行《い》った方《ほう》がマシよ!!
こ…こいつはバカなの!?
庶民《しょみん》!!庶民《しょみん》!!庶民《しょみん》!!
わっ!!
スッテーン

つつ…
わ、わ、
パンが…
もうっ！
その靴《くつ》じゃ歩《ある》けませんよ。
どうぞ自転車《じてんしゃ》に。
だ、誰《だれ》がそんな貧乏臭《びんぼうくさ》い乗《の》り物《もの》乗《の》るか!!
羽衣《はごろも》さんを使《つか》って…

ぼぃ～ん
あ、あれ…？
さっきと形《かたち》が…
？
セレブとしての志《こころざし》を守《まも》るお嬢様《じょうさま》の誇《ほこ》りに感動《かんどう》いたしました。
お手《て》伝《つだ》いさせてください!!
わ…私《わたし》のことが好《す》きなのはわかったわよ！
でも、私《わたし》が庶民《しょみん》なんか相手《あいて》すると思《おも》うの!?
でもま、分相応《ぶんそうおう》に接《せつ》するならいいか…
足《あし》が痛《いた》くて歩《ある》けないわ。
出《だ》して!!
ラジャー
チリリン

12

数日後《すうじつご》
ね――!!
知《し》ってる――?
青山《あおやま》さん、運転手《うんてんしゅ》替《か》えたのよ。
それ誰《だれ》だと思《おも》う――!?
え――!?
桂木《かつらぎ》イイイ!?
あのオタメガ?
キーコ
キーコ
ゼー
ゼー
しかも自転車《じてんしゃ》!!
金持《かねも》ちの考《かんが》えることはわっかんないわ――
桂木《かつらぎ》、また今日《きょう》も形《かたち》が違《ちが》うわね。
お前《まえ》、何台《なんだい》自転車《じてんしゃ》持《も》ってるの?
ゼ
ゼ
1台《だい》。
こいつ、なかなか忠実《ちゅうじつ》ね。
私《わたし》の家《いえ》のことも誰《だれ》にも言《い》わないし。
どういうつもりなの……?
ゼー
ゼー
ちょっと桂木《かつらぎ》、だらしないわよ!!
休《やす》んでないでこぎなさい!!
ハヒー
ハヒー
す…すみまひぇん。

13

今日《きょう》の大《おお》きさは
ゲーマーの
脚力《きゃくりょく》を越《こ》えてる!!
エルシィの奴《やつ》ー!
なに!?
用意《ようい》したのは
お前《まえ》自身《じしん》
でしょーーー?
なら、
私《わたし》が元気《げんき》の
出《で》るおまじない
してあげようか?
おまじ
ない!?
そ。
ムチで叩《たた》いて
あげたら、さぞ
力《ちから》も出《で》るでしょう。
バカヤロー!!
な、なんでそんな
ムチ持《も》ってん
だよ!
何《なに》ーーー?
私《わたし》が応援《おうえん》して
やるってのに!!
ちょ、直接攻撃《ちょくせつこうげき》は
想定外《そうていがい》だよ!!
あっは
ははは!!

帰《かえ》るわよ。
庶民《しょみん》の相手《あいて》なんかしてられないわ。

もう、体力《たいりょく》の限界《げんかい》…
ゼーゼー
もー駆《か》け魂《たま》なんてどーでもいい…
神様《かみさま》、がんばってください!!
か、確実《かくじつ》に関係《かんけい》は良《よ》くなっています!!
ケッ
お前《まえ》は見《み》てるだけでいいよなー。
ブツブツ
ピコ
ピッ
あーゲームはやっぱ最高《さいこう》だ――
BGM《ビージーエム》あるし――
街中《まちなか》歩《ある》いても疲《つか》れないし――
心《こころ》が折《お》れてる――
私《わたし》も駆《か》け魂《たま》狩《が》りが任務《にんむ》だからやってるんです!!
私《わたし》だって、神様《かみさま》にあんな娘《こ》追《お》いかけて欲《ほ》しくないです!!
あっあうぅ、あ、あの神様《かみさま》がどうというか…
?
あ、あの娘《こ》はいけない娘《こ》です!!
貧乏《びんぼう》なのに……
金《かね》持《も》ちのフリを続《つづ》けるなんて無意味《むいみ》な見栄《みえ》ですよ!!

大体《だいたい》、社長令嬢《しゃちょうれいじょう》を誇《ほこ》ってるわりに、
社長《しゃちょう》だったお父《とう》さんに、
お線香《せんこう》ひとつ上《あ》げるところ見《み》たことありません!!
死者《ししゃ》には敬意《けいい》を払《はら》うべきですよ!!
地獄《じごく》の人間《にんげん》が言《い》うと、うさんくさい言葉《ことば》だな――
ちゃーらちゃら～
でもな――
どうやらあいつはいい奴《やつ》ということらしいぞ。
え――!!?
というか、ボクの手持《ても》ちの予想《よそう》ルートがその結論《けつろん》しかない。
信《しん》じるしかない。
「告白《こくはく》」「秘密《ひみつ》」「送《おく》り迎《むか》え」そして「いけない娘《むすめ》」……
イベントは十分《じゅうぶん》だ。
あと何《なに》かひとつあれば……
?
?

17

青山
エルシィ、
エンディングが、
見《み》えたぞ!!
第63回「華の夜会」開催のお知らせ
拝啓
陽春の候、皆様におかれましてはますます御清祥のこと、心よりお慶び
申し上げます。
さて、毎月ご高配いただいております「華の夜会」を、今月は拙宅にて
り行う運びとなりました。
きましては多くの皆様がご参会のいただけますようご案内申し上げ
す。
敬具
平成○年×月△日
日時　○月△日（土）　午後6時
会場　舞島市　篠原1-31
三山木家　ばらの間
地図は別紙記載

FLAG《フラグ》.5 パーティーはそのままに
桂木《かつらぎ》はどこ――!?

FLAG《フラグ》.5
パーティーは
そのままに

桂木《かつらぎ》のやつ、どーゆーつもり?
パーティーなんかに連《つ》れて来《き》て!!
美生《みお》・攻略最終日《こうりゃくさいしゅうび》
今日《きょう》の送迎《そうげい》の自転車《じてんしゃ》がカボチャだった意味《いみ》に、
気《き》づくべきだった——!!
ウチに来《く》る招待状《しょうたいじょう》は全部《ぜんぶ》無視《むし》してんのよ!!
第63回「華の夜会」開催のお知ら
ばらの間
どーしてあいつが持《も》ってるの!?
美生様《みおさま》。

用意《ようい》したドレスはいかがですか。
か…桂木《かつらぎ》？
か…かわいい…
庶民《しょみん》にも衣装《いしょう》ね。
じゃ、じゃなくって!!
誰《だれ》がパーティーに連《つ》れて来《こ》いって言《い》ったのよ!!
いつも古《ふる》アパートでは息《いき》が詰《つ》まるでしょう。
たまには、
本当《ほんとう》の金持《かねも》ちのイベントも必要《ひつよう》と思《おも》いまして。
わ、私《わたし》はそういうこと言《い》ってんじゃないのよっ！

4

大体《だいたい》ここはパーティー会場《かいじょう》じゃない!!
会場《かいじょう》はあっち!!
ここは裏庭《うらにわ》よ、このすっとこ運転手《うんてんしゅ》!!
いやーボク、踊《おど》りとか自信《じしん》ないので、
前《まえ》もってお嬢様《じょうさま》に教《おし》えてもらおうかと…
踊《おど》り？お…お前《まえ》、参加《さんか》する気《き》!?
冗談《じょうだん》でしょ!?
いいわ、お前《まえ》、ここで一人《ひとり》でパーティーやりなさいよ。
客《きゃく》も、ボーイもシェフもいないけどね。
メイドはいるみたいですよ？

お飲《の》みもの いかがですか——
おい!! このチャラチャラした服《ふく》はなんだ!?
もっと地味《じみ》なの作《つく》れよ!!
いやがらせでー——す。
う——— 私《わたし》もドレスが着《き》たいです。
なんでメイドー。
楽《たの》しもうとするなよ!!
な、何《なに》? 桂木《かつらぎ》のやつ… し、知《し》り合《あ》いなの!?
今夜《こんや》が勝負《しょうぶ》だ!!
駆《か》け魂《たま》を見逃《みのが》すなよっ!!

桂木《かつらぎ》!!
ダンス教《おし》えて欲《ほ》しいんでしょ!!
庶民《しょみん》に与《あた》える時間《じかん》なんてないんだから、
1分《ぷん》で覚《おぼ》えなさい!!
ムリ言うな
じゃ、はい、手《て》握《にぎ》って。
ビクッ
キュッ
な…何《なに》よ!?
い…いや、別《べつ》に…
触《さわ》られんの苦手《にがて》だ!!
て、て、手《て》ぐらいでドーヨーしないでよ!!
こ、こ、こんなのダンスじゃフ、フ、フ、フツーだから!!
ギクシャク
わ、わかったよ……
ギクシャク
左《ひだり》、右《みぎ》、
そう、そこで回《まわ》る。
7

L《エル》
R《アール》
↑
←
□
ブツ
ブツ
結構《けっこう》
飲《の》み込《こ》み
いいじゃない。
♪
♫
しかし、
ダンスパーティー
みたいな、
まんがみたいな
世界《せかい》、本当《ほんとう》に
あるんだな…
ふん、
庶民的《しょみんてき》
感想《かんそう》ね。
本当《ほんとう》の上《うえ》の
上《うえ》の階級《かいきゅう》は
こうなのよ。
縁《えん》のない
世界《せかい》だ…
洋館《ようかん》モノは
やるけどね。
♪
♪
♫
今《いま》、その気分《きぶん》を
味《あじ》わわせて
やってるじゃない。
これは
青山《あおやま》さんの
ところの!!

美生《みお》さん!!
こんな所《ところ》で何《なに》を!?
いらっしゃってるなら、中《なか》へどうぞ!!
べ…別《べつ》に来《き》たかった訳《わけ》じゃ…
いやー青山社長《あおやましゃちょう》は残念《ざんねん》でした。
今《いま》は借金暮《しゃっきんぐ》らしでアパート住《ず》まいとか……
おい、失礼《しつれい》だろ、君《きみ》ハハハ。
誰《だれ》だ、招待状《しょうたいじょう》送《おく》ったの。
ホントに来《き》てるとはな——
ただ飯《めし》狙《ねら》いでしょう、クク。
9
ま…負《ま》けるもんか…
わ、私《わたし》はパパの娘《むすめ》だ……
…もうやめませんか？

こんな世界《せかい》にいて、どーなるんです？
もうやめましょうよ……
うるさい!!
私《わたし》は本当《ほんとう》に金《かね》持《も》ちよ!! 金《かね》持《も》ちなのよ!!
お前《まえ》だって手《て》伝《つだ》うって言《い》ったくせに!!
もう十分《じゅうぶん》ですよ。
お父様《とうさま》も……
もう満足《まんぞく》されてますよ。

死《し》んだお父《とう》さんを忘《わす》れないために、
お父《とう》さんの教《おし》えを守《まも》ってたんだよね。
だから社長令嬢《しゃちょうれいじょう》を演《えん》じ続《つづ》け、
お父《とう》さんの仏壇《ぶつだん》へお線香《せんこう》もあげなかった。
でも、
もう自分一人《じぶんひとり》の人生《じんせい》を歩《あゆ》むべきだ!!
美生《みお》…
大《おお》きくなったなー。
美生《みお》!!
社長《しゃちょう》の娘《むすめ》としての誇《ほこ》りを忘《わす》れちゃいけないよ。
第52回卒業式
美生《みお》…
美生《みお》…
青山家之墓

パパは…死《し》なない!!
パパは私《わたし》のココロで生《い》きてる!!
私《わたし》がパパの教《おし》えを守《まも》ってる限《かぎ》り!!
でも昨日《きのう》、
君《きみ》は笑《わら》ってた!!
私《わたし》が応援《おうえん》してあげるわ——
いつも笑《わら》わない君《きみ》が…
昨日《きのう》は特別《とくべつ》楽《たの》しいことがあったのかい?
昨日《きのう》の笑顔《えがお》を、
もっと見《み》たいんだ!!

ドー
うお!!
ゴロゴロ
お、お前《まえ》は
ペテン師《し》だ!!
私《わたし》に協力《きょうりょく》する
フリして
だましてたのね!!
お前《まえ》が…
お前《まえ》が
来《き》てから…
パ…パパが
どんどん小《ちい》さく
なっちゃうよう…
このまま
じゃ……
パパが…
パパが…
本当《ほんとう》に死《し》ん
じゃう…
それでも!!
ボクは
君《きみ》の心《こころ》に
住《す》みたい!!
ボクが嫌《いや》なら
パーティーに
参加《さんか》すれば
いい!!
どっちを
選《えら》ぶんだ!!

14

どっちなんだ!?
ビクッ
ドッ
ドッ
ドッ
ドッ
ドッ
パパ…
パパ…

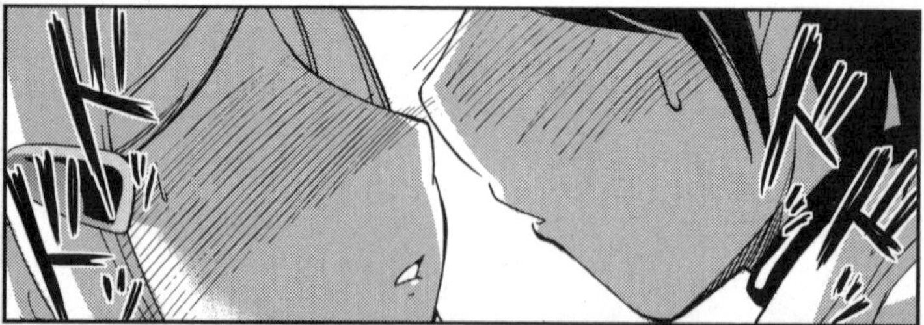

16

17

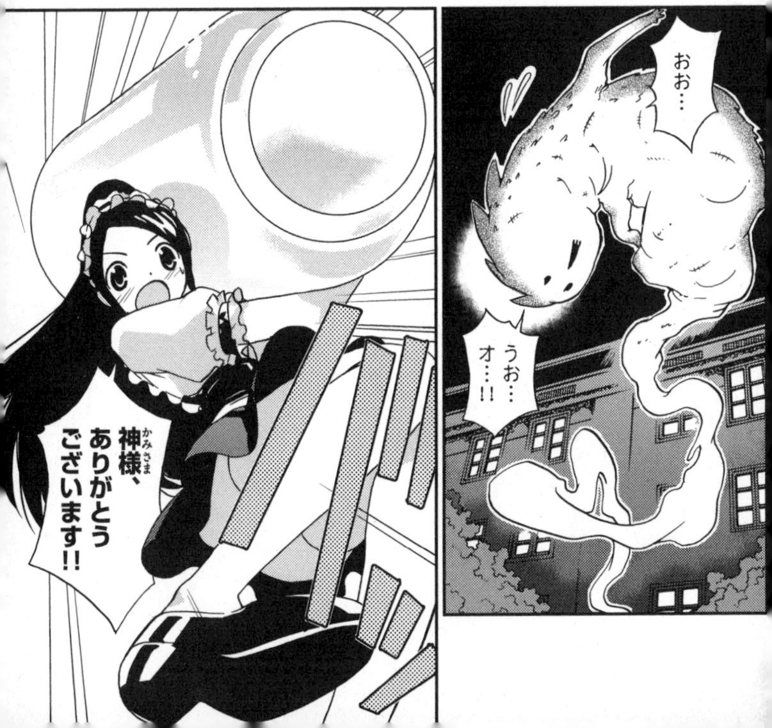

駆《か》け魂《たま》勾留《こうりゅう》!!
こうして……
ぜー
ぜー
二匹目《にひきめ》の駆《か》け魂《たま》も無事確保《ぶじかくほ》された…
翌日《よくじつ》
神様《かみさま》のおかげで、もう二匹《にひき》ー!!
ボクは早《はや》くもギリギリだよ。
はにゃーん
ちょっと、そこの庶民《しょみん》!!

昼《ひる》ごはんにオムそばパンを買《か》いたいんだけど、
このコインで足《た》りるのか教《おし》えて。
使《つか》ったことないから…
どれがどれだかわからないのよ。
オムそば2コは買《か》えそうだぞ。
わいわい
DEMETER
MAIJIMA
そう、ありがとう。
小銭《こぜに》を認《みと》めてますよ。
性格《せいかく》はあんま変《か》わってないな。
じー
タカタカ

19

あの娘《こ》の記憶《きおく》がなくなって残念《ざんねん》でしょ？
かわいい娘《こ》でしたからねー。
別《べつ》にっ。
ボクもお父《とう》さんも忘《わす》れたほうがいい。
これであの娘《こ》も自分自身《じぶんじしん》の人生《じんせい》を歩《ある》けるさ。
そうそう、次《つぎ》は私《わたし》にも華《はな》やかな役《やく》くださいよ!!
お前《まえ》のキャラじゃスペック不足《ぶそく》だな。
うぅ——!!

FLAG《フラグ》.6
神《かみ》以上《いじょう》、人間《にんげん》未満《みまん》

♪
こっちの世界《せかい》も大分《だいぶ》なれました——
ボワ
ボワ
わったしの♪わったしのカレーは——
バサ
バサ
エルちゃんおはよ〜日曜《にちよう》なのに早《はや》いわね——
トコ
トコ
アフ
あ、お母様《かあさま》おはよーございまーす!
ロウ人形ー♪
あら——また掃除《そうじ》してくれたの?
はい——喫茶店《きっさてん》の方《ほう》も掃除《そうじ》しました——♥

あなたはいい子《こ》ねー!!
桂馬《けいま》より、エルちゃんが本当《ほんとう》の娘《むすめ》だったらよかったわ。
メデ
ナデ
うーエへへ。
今《いま》、その神《かみ》…にーさまにごはん作《つく》ってるんです。
前《まえ》のは、あんまり気《き》に入《い》ってもらえなかったので…
は――!! う――!! できました――!!
二十種《にじっしゅ》の魚介《ぎょかい》と野菜《やさい》のハンドウィッチ――っ!!
ゴゴゴゴ
3
うん!! 今度《こんど》は見《み》た目《め》もぐっと親《した》しみやすいです!!
原材料《げんざいりょう》が気《き》になるなあ…
ガタ

ザイイイー
ヒュウウゥ
ヒョオオォ
ア…
アンデッド!?
ううん…
神《かみ》にーさま!?
タタ
どぉーしたんですか!?
あー
あ…
わー ダメダメ!!
おにーさまはかわいい顔《かお》ぐらいしか取《と》り柄《え》ないのに!!
グダグダになっちゃってますー!!

ゲ…
ゲームが…
ゲームが足《た》りないいいいい!!
きゃう——!!
駆《か》け魂《たま》ばかり追《お》いかけてたせいで、2週間《しゅうかん》ろくにゲームをやってない!!
ボクの部屋《へや》ではその間《あいだ》も、どんどんと新発売《しんはつばい》のギャルゲがたまっていってるんだ!!
もう限界《げんかい》だ!!
ゲームがエネルギーなんだ!! 空気《くうき》なんだ!!
ゲームを… ゲームを… くれ…
ガタ
ガタ
あっちの息子《むすこ》はなかったことにしたいわ——

今《いま》からボクは落《お》とし神《がみ》モードに入《はい》る!!
ジャマするな!!
おにーーさま!!
おにーさまー
おとしがみ
もーどって
なんですかー?
ガチャ
ガチャ
ガチャコ

ゴゴゴゴゴ
初《はじ》めて見《み》ました……
神様《かみさま》のお部屋《へや》!!
ゴゴゴ
フィン
フィン
7
か…神様《かみさま》!?

神様《かみさま》の…神様《かみさま》の腕《うで》が!!
あれが落《お》とし神様《がみさま》の本当《ほんとう》の姿《すがた》!!

ハッ!!
違《ちが》う!!
あれは残像《ざんぞう》!!
手《て》の動《うご》きが速《はや》すぎていち、にい…6本《ぼん》に見《み》えるんだ!!
なんてこと!!
神様《かみさま》は猛《もう》スピードで、
沢山《たくさん》のゲームを同時《どうじ》に遊《あそ》んでるんです!!
な…
なんのイミが!?
きっかけは時間《じかん》がないので、
二《ふた》つのゲームを同時《どうじ》に攻略《こうりゃく》しはじめた時《とき》だ…

9

今《いま》では6つのゲームを同時《どうじ》にプレイできるようになった!!
わ、
ごめん!!
バーカ、
バーカ。
オッス。
きもちE——
だから…
キミさ——
全部《ぜんぶ》ADV《エーディーブイ》なら12コまでOK《オーケー》さ!!
ディス!!イズ!!落《お》とし神《がみ》モード!!!
フハハハ!!
しかも…
!
右上《みぎうえ》と左下《ひだりした》いい話《はなし》だな……
さすがのボクも参《まい》った。
ちゃんと別々《べつべつ》に感情移入《かんじょういにゅう》してるー!!
よーし、3時間《じかん》で6本《ぽん》コンプ。
この2週間《しゅうかん》にたまったゲーム一掃《いっそう》するぞ!!
ヒィン
ヒィン
ガク
!?
ただし、知力《ちりょく》、体力《たいりょく》、集中力《しゅうちゅうりょく》を極限《きょくげん》まで研《と》ぎ澄《す》ませるこのモードは、
同時《どうじ》に使用者《しようしゃ》をむしばむ諸刃《もろは》の剣《つるぎ》!!

1時間《じかん》のモード発動《はつどう》は、
使用者《しようしや》の寿命《じゆみよう》を3年《ねん》も縮《ちぢ》める!!
(ような気《き》がするほど疲《つか》れる!!)
かまうもんか…現実《リアル》の命《いのち》がなんぞ!!
積《つ》みゲームを作《つく》るぐらいなら、それこそ死《し》んだ方《ほう》がマシ!!
所詮《しよせん》血塗《ちぬ》られた道《みち》よ…フフフ……
忘れてた。
久々《ひさびさ》に神様《かみさま》が気持《きも》ち悪《わる》いです。
さ、さらに6本《ぼん》クリア!!
フ…やや疲《つか》れたかな…
3時間後《じかんご》
で…でも、まだこんな残《のこ》ってる……
フフフ…ありがとうギャルゲよ、毎月《まいつき》沢山《たくさん》出《で》てくれてありがとう!!
ハハハハ!!

男《おとこ》は……
なんだよ、これTRPG《ティーアールピージー》──!?
ギャルゲにゲーム性《せい》なんかいらねーよ!
燃《も》やし尽《つ》くした……
ゲ──
!!
ループしてる──!!
またバグだ──!!
自《みずか》らのすべてを……!!
ハッ
ハッ
さらに20時間後《じかんご》
よ…よし…あと一本《いっぽん》…この娘《こ》だけで終《お》わりだ…
フ…フ…2週間分《しゅうかんぶん》の遅《おく》れを取《と》り戻《もど》したぞ……
ゼー
ゼー
体《からだ》も元気《げんき》だよ、朝《あさ》の辛《つら》さがウソみたいだ!!
あれ…?画面《がめん》が見《み》えない……停電《ていでん》か…?
そういえば…神《かみ》モード何時間《なんじかん》続《つづ》けたっけ…
イシキが……遠《とお》のく…

ボクは、
死《し》ぬのか…
神様《かみさま》!!
しっかりして神様《かみさま》!!
まだ闘《たたか》えるわ!!

そうよ!!
もう一息《ひといき》よ!!
神様《かみさま》ならできるわ!!
『ぴの2』の理奈《りな》!! 『わいわい』の響《ひびき》!! 『フェアリー』のりょう、ティーア!! 瞳《ひとみ》!!
つかさ!! いずみ!! 涼子《りょうこ》!! 葵《あおい》!!
知佳《ちか》ちゃん!! まこさん!! まっち!! るいるい!!
みんな… 見守《みまも》っていてくれたんだ…
ボクは一人《ひとり》じゃなかったんだ…
がんばれ♡
がんば♡
やるよボク!!
がんばれ♡
がんばって神様《かみさま》——
がんばれ♡

14

神様《かみさま》、おつかれさま☆
さあ ゲームの世界《せかい》へ 行《い》きましょう!!
ゲームの 世界《せかい》!?
行《い》くよ!!
ED《エンディング》テーマ
集積回路《しゅうせきかいろ》の夢旅人《ゆめたびびと》
作《さく》・桂木桂馬《かつらぎけいま》
唄《うた》・桂木桂馬《かつらぎけいま》with《ウイズ》 2D《ツーディー》ガールズ
ランプに火《ひ》を 灯《とも》したら さあ出《で》かけよう
始《はじ》まるよ ホール・ニュー ワールド
FEELING《フィーリング》 HEART《ハート》
感《かん》じるよ このトキメキ
（ドキ♡ ドキドキ♡）
HEALING《ヒーリング》 HEART《ハート》
どんなことも かなう
困《こま》った時《とき》は SAVE《セーブ》&LOAD《ロード》

15

約束《やくそく》の場所《ばしょ》で
君《きみ》に会《あ》える
素敵《すてき》な世界《せかい》の無敵《むてき》なボクさ
素敵《すてき》な世界《せかい》の無敵《むてき》なボクさ
おわり

ありがとう…ありがとう…
ブブブ
う――っ神様《かみさま》あ――っ!!
しっかりしてください――私《わたし》です、エルシィですよ――
わーなんだお前《まえ》!!いつからいた!?
う〜ん、6P《ページ》目《め》ぐらいからです。
動《うご》かなくなったので、神様《かみさま》しっかりーって言《い》ったら…
神様《かみさま》、急《きゅう》にニコニコと…
あ、あれ、お前《まえ》の声《こえ》だったのか…
もうっごはんも食《た》べないでゲームしてるからおかしくなるんです。
教訓《きょうくん》。
現実《リアル》の腹《はら》ごしらえも大切《たいせつ》だ。
ポンポン。

という訳《わけ》で、これどうぞ!!
な…なんだこのオブジェは……これ…食《く》い物《もの》?
はい!! 食《た》べてもらいます。
素敵《すてき》な世界《せかい》の無敵《むてき》なボクさ♪
明日《あした》、学校《がっこう》で口《くち》ずさもうかな――
マ…マヨネーズつけていいかな……
一気《いっき》にどうぞ!!
という感《かん》じの日々《ひび》を送《おく》ってます室長《しつちょう》。
仕事《しごと》してるのか、あいつ…

本編は以上です。
おまけページへどうぞ!!

高原歩美《たかはらあゆみ》

ジョブ：陸上部《りくじょうぶ》
誕生日《たんじょうび》：5月《がつ》2日《か》
クラス：2-B
血液型《けつえきがた》：O型《がた》
身長《しんちょう》：158cm
体重《たいじゅう》：50kg
スリーサイズ：84-60-85
好《す》きなもの：走《はし》ること、お笑《わら》い番組《ばんぐみ》、食《た》べること
嫌《きら》いなもの：準備運動《じゅんびうんどう》、筋《きん》トレ、辛《から》い食《た》べ物《もの》
最近《さいきん》の悩《なや》み：走《はし》るのに必要《ひつよう》ないのに、段々《だんだん》
胸《むね》が大《おお》きくなってきてる

作者《さくしゃ》メモ：舞校《まいこう》の非誘導陸上《ひゆうどうりくじょう》ミサイル
・歩美《あゆみ》ちゃん。
兵器《へいき》にブレーキなどいらぬ。
ゴールを打《う》ち抜《ぬ》くのみ！
けど火薬《かやく》が点《つ》かない時《とき》もあるのさ…
だって、女《おんな》の子《こ》だもん！

前《まえ》の連載《れんさい》でも第《だい》1話《わ》で出《で》てきた、
陸上女子《りくじょうじょし》。
かつて、ゲームに
自分《じぶん》の手《て》に入《はい》らない世界《せかい》を
求《もと》めていた時代《じだい》、運動少女《うんどうしょうじょ》は
インドアゲーマーにとって
まぶしい存在《そんざい》でした。
実際《じっさい》、ボクが学生時代《がくせいじだい》に憧《あこが》れた
女《おんな》の子《こ》はいつも運動部女子《うんどうぶじょし》
だった、ということもあって、
思《おも》いも格別《かくべつ》です。
しかし、今《いま》はちょっと影《かげ》が薄《うす》い
ジャンルのような気《き》が…
祝《しゅく》・復活《ふっかつ》！の願《ねが》いを込《こ》めて、
1話目《わめ》に抜擢《ばってき》です。
次《つぎ》に何《なに》か連載《れんさい》しても、一話目《いちわめ》に
陸上部絶対出《りくじょうぶぜったいだ》すぞ。

ちなみに、歩美《あゆみ》とセットになっていた
二人《ふたり》の友達《ともだち》にも名前《なまえ》があって、
髪《かみ》の毛《け》の長《なが》い娘《こ》が「寺田《てらだ》 京《みやこ》」、
短髪《たんぱつ》の子《こ》が「石切《いしきり》いづみ」
と言《い》います。
京《みやこ》ちゃんは桂馬《けいま》、歩美《あゆみ》と同級生《どうきゅうせい》です。

AYUMI　SONOGO1

ちょーっとあゆみー調子《ちょうし》のるなよ――
優勝《ゆうしょう》なんてぐーぜんよ――
え――!?
どうしてほめたりするんですか――
今《いま》、ほめられたんだ…

AYUMI　SONOGO2

きゃ――
ゴン
また止《と》まれなかった。
対策《たいさく》しないと私《わたし》、今《いま》に死《し》ぬぞ…
なによ廊下《ろうか》に穴《あな》あいたぐらい……
うわばきにスパイクはいてもいいじゃない。
走《はし》らないってのはどうだ?

AYUMI　SONOGO3

歩美《あゆみ》のマネで髪《かみ》くくるのはやってるわねー。
よ♪トレンドセッター
や、やめてよ——♡
しーん
大会前《たいかいまえ》の仮病《けびょう》まではやってるのよねー。
そして選手《せんしゅ》以外《いがい》のやつも休《やす》む。

AYUMI　SONOGO4

ねー歩美《あゆみ》、オタメガと何《なに》かあった?
え!?
だって最近《さいきん》オタメガって言《い》わなくなったよ。
な、ないよ…何《なに》もないよっ!
じゃー呼《よ》んでみてよー。
オ、
オタメギー。
ほら言《い》ったよ。
いーや、途中《とちゅう》で桂木《かつらぎ》になってた。
なんなんだ
話《はなし》くわしく聞《き》こうか…
ザッザッザッ

青山美生《あおやまみお》

ジョブ：元《もと》セレブ
誕生日《たんじょうび》：1月《がつ》2日《か》
クラス：2-A
血液型《けつえきがた》：A型《がた》
身長《しんちょう》：149cm
体重《たいじゅう》：38kg
スリーサイズ：74-54-77
好《す》きなもの：乗馬《じょうば》（だった）、
アフタヌーンティーの
スコーン（だった）、
オムそばパン（になった）。
嫌《きら》いなもの：身体測定《しんたいそくてい》、勉強《べんきょう》
最近《さいきん》の悩《なや》み：髪《かみ》の毛《け》を自分《じぶん》でくくると、
左右対称《さゆうたいしょう》になかなかならない…

作者《さくしゃ》メモ：偉《えら》そうにみえるかも知《し》れないけど、
そうじゃないの。高《たか》い地位《ちい》に生《う》まれ育《そだ》つと、
見下《みくだ》すことしかできないのよね。
ごめんあそばせ。
あ、あれ？ちょっと！どうしてみんな私《わたし》より
背《せ》が高《たか》いのよ！見下《みくだ》せないじゃない！

お金《かね》持《も》ちの令嬢《れいじょう》、
というのも、古《ふる》くから
マンガゲームで
お馴染《なじ》みの
職業《しょくぎょう》（？）です

しかも、昔《むかし》から変《か》わらず今《いま》も主流《しゅりゅう》。
特《とく》に近年《きんねん》は金《かね》持《も》ち＝子供《こども》っぽい＝ツンデレ
と結《むす》びついて、強力《きょうりょく》な構成要素《こうせいようそ》が揃《そろ》ってきているジャンル。
他人《たにん》に対《たい》する説明《せつめい》がしやすいということもあって、美生《みお》には
今回《こんかい》の連載《れんさい》に先立《さきだ》つパイロット版読切《ばんよみきり》のヒロインも担当《たんとう》して
もらいました。
そして、連載《れんさい》においても、3話目《わめ》というページ数《すう》が減《へ》り始《はじ》める
ところで勢《いきお》いを失《うしな》わないためにまた登場《とうじょう》。
この連載《れんさい》のテコ入《い》れプリンセス、ビッグワン的存在《てきそんざい》と
言《い》えるでしょう。
いつかまた、ドーピング的登場《てきとうじょう》はあるのでしょうか？
なにげに傍《かたわ》らにいる運転手《うんてんしゅ》・森田《もりた》が、ボクはお気《き》に入《い》
なんです。だから
おまけマンガ
森田《もりた》が主役《しゅやく》

MIO　SONOGO1

これからの生活《せいかつ》に必要《ひつよう》です。
小銭《こぜに》の種類《しゅるい》を覚《おぼ》えましょう。
モリタ
1円《えん》です。
ふん。確《たし》かに華《はな》がないお金《かね》ね。
じゃこれは10万円《まんえん》なのね？
10円《えん》です。
おかしいわ！100円《えん》より大《おお》きいのにどーして価値《かち》が下《した》なのよ!!
耐《た》えましょうお嬢《じょう》さま。

MIO　SONOGO2

これからは歩《ある》いて通学《つうがく》するんです。
底《そこ》の低《ひく》いくつにはきかえましょう。
庶民《しょみん》より下《した》の目線《めせん》で歩《ある》けないわ!!
そう言《い》うと思《おも》って用意《ようい》しました。
これなら歩《ある》くのも楽《らく》だし底《そこ》も高《たか》いです!!
ステキよ森田《もりた》。
パラダイスギンガ!!
で、誰《だれ》が引《ひ》っぱってくれるの？

MIO SONOGO3

パパ おはよう。
学校《がっこう》行《い》ってくるね。
じーーん
お嬢《じょう》さま……
ようやくお父《とう》さまの死《し》を受《う》け入《い》れて……
てかお嬢《じょう》さま!!
お供《そな》えにオムそばパンは罰当《ばちあ》たりでは!?
ボヘーン
賞味期限《しょうみきげん》今日《きょう》までなのよ、
パパにも協力《きょうりょく》してもらわなきゃ。
私《わたし》すでに65コ目《め》です…
パクパク
パク

MIO SONOGO4

ドッ
……
じーーん
一般生徒《いっぱんせいと》に興味《きょうみ》を持《も》つとは…
お嬢《じょう》さまもフツーの少女《しょうじょ》になりました…
あいつを見《み》てるとムチで叩《たた》きたくなる…
なぜかしら…
社長《しゃちょう》…お嬢《じょう》さまをお守《まも》りください……!!

「神《かみ》のみぞ知《し》るセカイ」、第《だい》1巻《かん》
いかがだったでしょうか？
今回《こんかい》のお話《はなし》は、前連載《ぜんれんさい》「聖結晶《せいけつしよう》アルバトロス」
の連載中《れんさいちゆう》に立《た》ち上《あ》がった企画《きかく》で、「アルバ」
最終盤《さいしゆうばん》のボクにとってはヘビーな展開《てんかい》の
反動《はんどう》から、「楽《たの》しい話《はなし》が描《か》きたい！」という
切望《せつぼう》が形《かたち》になったものです。
さらに、メインモチーフは見《み》ての通《とお》り、
ゲームです。しかもギャルゲ。
ボクは、20代後半《だいこうはん》の頃《ころ》、家《いえ》で日《ひ》がな一日《いちにち》ゲーム
してごくつぶししていたポンコツだった訳《わけ》ですが
あの時《とき》のつぶしてた「ごく」にもう一度《いちど》食《た》べ
させてもらおうと言《い》うリサイクルでエコロジー
かつ虫《むし》のいい作品《さくひん》なんですねぇ…
今回《こんかい》からデジタルでの制作環境《せいさくかんきよう》に移行《いこう》
しまして、さらに初《はじ》めてのラブコメ
(この話《はなし》はラブコメでいいんでしょうか？)
連載《れんさい》ということもあって、「虫《むし》のいい」作品《さくひん》
の割《わり》に毎日《まいにち》なかなか大変《たいへん》です。
しかし、ヒイヒイ言《い》いながらも、今《いま》、私《わたし》は
「こういう話《はなし》がボクは描《か》きたかったんだなぁ」
という密《ひそ》かな充実感《じゆうじつかん》とともに生《い》きています。
お話《はなし》はまだ始《はじ》まったばかり。桂馬《けいま》とエルシィ
そしてついでに私《わたし》も、どうぞよろしく
お願《ねが》いいたします。

2008　若木民喜《わかきたみき》

作画スタッフ

若木民喜

小嶋武史　中西寛　森田滋　梧桐柾木
サポート作画スタッフ
池田由里　今泉由紀子　加藤南　高倉幸美　山岡千重子
表紙＆ロゴサポート
泉岡香名子
スペシャルサンクス
明野みる　黒丸　十神真　臼井ちひろ　畑健二郎
スペシャル×∞サンクス
読者の皆様
ナイスサポート
美味しいケーキ屋の数々
今までのボクの人生

神のみぞ知るセカイ①

少年サンデーコミックス

2008年7月16日初版第1刷発行　（検印廃止）
2009年8月20日　第9刷発行

著者　若木民喜
©Tamiki Wakaki　2008

発行者　片寄　聰

印刷所　図書印刷株式会社

PRINTED IN JAPAN

「週刊少年サンデー」2008年第19号～第25号掲載作品
連載担当／石橋和章
単行本編集責任／赤岡 進
単行本編集／石橋和章／多賀映子（アイプロダクション）

発行所　（〒101-8001）東京都千代田区一ツ橋二の三の一
TEL　販売03(5281)3556 編集03(3230)5853
株式会社 小学館

ISBN978-4-09-121430-0